STIMMEN AUS
DEM STUNDENGLAS

DEUTSCHE GEDICHTE UND LIEDER

Edited by

EVELYN S. COLEMAN
University of Minnesota

STIMMEN AUS DEM STUNDENGLAS

DEUTSCHE GEDICHTE UND LIEDER

PRENTICE-HALL, INC. Englewood Cliffs, New Jersey

Prentice-Hall International, Inc., London
Prentice-Hall of Australia, Pty. Ltd., Sydney
Prentice-Hall of Canada, Ltd., Toronto
Prentice-Hall of India Private Ltd., New Delhi
Prentice-Hall of Japan, Inc., Tokyo

PRENTICE-HALL GERMAN SERIES
KARL S. WEIMAR, EDITOR

Library of Congress Catalog Card No.: 68–10741

Current printing (last digit)
10 9 8 7 6 5 4 3 2 1

Printed in the United States of America

FÜR FELI

VORWORT

Diese Sammlung von deutschen Gedichten und Liedern wurde für den Sprachunterricht zusammengestellt. Bei der Auswahl ging es mir vor allem darum, daß die Gedichte die heutigen Studenten ansprechen. Es schien mir weniger wichtig, einen historischen Querschnitt durch die deutsche Dichtung zu bieten, als in den Studenten vorerst einmal Verständnis und Begeisterung für die Poesie zu erwecken. Daher habe ich grundsätzlich nur solche Gedichte aufgenommen, die nach wiederholter Durchnahme in den ersten drei Deutschjahren allgemeinen Beifall fanden.

Warum man im Sprachunterricht, der hauptsächlich eine Vorbereitung für das spätere Studium der Literatur ist, nicht auf das Lesen der Dichtung verzichten soll, braucht hier nicht weiter erklärt zu werden. Betont sei nur, daß Poesie eine ebenso gültige Aussageform der Sprache ist wie die literarische Prosa oder die Rede des Alltags.

Gedichte können schon vom ersten Jahr an als zusätzlicher Lern- und Lesestoff verwendet werden. Die Sammlung beginnt daher mit kurzen und einfachen Gedichten, die sich zum Auswendiglernen und zum Üben der Aussprache eignen. Besonders Anfänger verspüren ein echtes Gefühl des Erfolges, wenn sie ein Gedicht fehlerlos vortragen können. Da man auswendig Gelerntes nicht so leicht wieder vergißt, wird der Student viele Verse weit über die Zeit seines Sprachunterrichts hinaus im Gedächtnis behalten.

Wer gerne singt findet in diesem Bändchen mehrere Lieder. Kanons sind besonders bei Anfängern sehr beliebt, da ihre Texte und Melodien einfach und kurz sind. Außer einigen bekannten Weihnachtsliedern habe ich hauptsächlich solche Lieder gewählt, die gleichzeitig auch wertvolle Gedichte sind. Wer nicht gerne singt, kann sie als Poesie verwenden.

Da es mir wichtig scheint, daß man im Fremdsprachenunterricht von Anfang an den Gebrauch der Muttersprache ausschaltet, sind dem Text nur deutsche Anmerkungen und Fußnoten beigegeben. Sie erklären poetische Ausdrücke und schwierige Wörter in einfachem

Deutsch und sollen die Studenten anregen, vom deutsch-englischen Vokabular so wenig wie möglich Gebrauch zu machen. Das Glossar am Ende des Bändchens verzeichnet nur solche Wörter, die in J. Alan Pfeffers *Basic (Spoken) German Word List (Grundstufe)* (1964) und *Index of English Equivalents for the Basic (Spoken) German Word List (Grundstufe)* (1965) nicht aufgeführt sind und daher nicht zum "Grunddeutsch" gehören. Stellenweise habe ich auch C. M. Purins *Standard German Vocabulary* (1937) zu Rate gezogen. Im Anhang finden sich kurze biographische Skizzen über die einzelnen Dichter, deren Gedichte in der Anthologie aufgenommen sind.

Bei der Anordnung der Gedichte bin ich nach verschiedenen Gesichtspunkten verfahren: die Gedichte sind nach Länge geordnet, zuerst kommen daher die kurzen, dann die längeren Gedichte, die sich zum Auswendiglernen eignen, darauf folgen die Balladen. Innerhalb dieser Gruppen wurden die Gedichte nach ihrem Schwierigkeitsgrad angeordnet und dabei ist auch auf die verschiedenen Themenkreise Rücksicht genommen worden. Die Balladen beginnen auf Seite 40 (Der Feuerreiter usw.). Die übrigen Gedichte lassen sich in die folgenden Themenkreise einreihen:

Mensch: Ecce Homo (5), „Ein Mensch" (6), Harfenspieler (9), Die Krücken (23), „Mein kind kam heim" (29).

Glück und Schicksal: Das Glück (7), Ärgerlich (12).

Liebe: Ein Fichtenbaum (8), Doris und Damon (8), „Die blauen Veilchen der Äugelein" (9), Psyche (15), Die Beiden (27), „Fenster" (28), Der Asra (31), „Sie saßen und tranken am Teetisch" (31).

Leben und Tod: „Zu fragmentarisch" (6), Der Tod und das Mädchen (10), Schließe mir die Augen beide (10), Lebensgruß (16), Das tote Kind (20), Nach einem Niederländer (26).

Krieg: Tod in Ähren (20), Brüder (21), „General" (22), Lied einer deutschen Mutter (22).

Humoristisches: Fisches Nachtgesang (3), Humor (4), Im Park (4), Vice Versa (5), Aufforderung zur Bescheidenheit (7), Das Huhn (12), Die drei Spatzen (13), Der Lattenzaun (13), Der Unentbehrliche (14), Das Lied vom Floh (32), Kleine Geschichte (33), Der Werwolf (34), Die Nähe (35), Der Purzelbaum (36), Der Würfel (37), Ein Hund hält Reden (38).

Natur: Wanderers Nachtlied II (9), Septembermorgen (11), Der

Pflaumenbaum (15), „Der Sturm" (16), Verklärter Herbst (17), Herbsttag (18), Einkehr (39).

Zeit: In der Frühe (11), Dezember (19).

Tiere: Der Panther (18), Vogelschau (29).

Verschiedenes: Lied des Lynkeus (24), Die Stadt (25), Napoleon im Kreml (26).

E.S.C.

ACKNOWLEDGMENTS

I am indebted to the Graduate School of the University of Wisconsin and the German Department at the University of Minnesota for providing intermittent clerical assistance. My special thanks go to Kaaren Grimstad, who helped me with the initial selection of the poems, checked the vocabulary, and typed a sizable portion of the manuscript.

Acknowledgment is made to the following publishers for permission to reprint certain poems and songs in this anthology:

The Suhrkamp Verlag, Frankfurt a. M., Germany, for permission to reprint the poems "General", "Die Krücken", "Lied einer deutschen Mutter", "Der Pflaumenbaum" by Bertolt Brecht.

The Voggenreiter Verlag, Bad Godesberg, Germany, for permission to reprint the song "Lachend kommt der Sommer" by Cesar Bresgen.

The Verlag Braun & Schneider, München, Germany, for permission to reprint the poems "Ärgerlich", "Humor", "Der Unentbehrliche" by Wilhelm Busch.

The L. Staackmann Verlag, Bamberg, Germany, for permission to reprint the poem "Nis Randers" by Otto Ernst.

The Helmut Küpper Verlag, vormals Georg Bondi, München und Düsseldorf, Germany, for permission to reprint the poems "Fenster wo ich einst", "Mein kind kam heim", "Vogelschau" by Stefan George (from: *Stefan Georges Werke in zwei Bänden*).

The Insel Verlag, Frankfurt a. M., Germany, for permission to reprint the poems "Die Beiden" by Hugo von Hofmannsthal and "Herbsttag", "Der Panther" by Rainer Maria Rilke.

The Möseler Verlag, Wolfenbüttel, Germany, and Zürich, Switzerland, for permission to reprint the song "Abendstille überall", text by Fritz Jöde, music by Otto Laub (from: Fritz Jöde, *Die Singstunde*).

The Atrium Verlag A. G., Zürich, Switzerland, for permission to reprint the poems "Aufforderung zur Bescheidenheit" (from: *Doktor Erich Kästners Lyrische Hausapotheke*) and "Ein Hund hält Reden" (from: Erich Kästner, *Bei Durchsicht meiner Bücher*).

The Eugen Diederichs Verlag, Düsseldorf, Germany, for permission to reprint the poem "Brüder" bei Heinrich Lersch.

The Holsten Verlag, Hamburg, Germany, for permission to reprint the poem "Tod in Ähren" by Detlev von Liliencron.

The Henssel Verlag, Berlin, Germany, for permission to reprint the poem "Im Park" by Joachim Ringelnatz.

The Carl Hanser Verlag, München, Germany, for permission to reprint the poem "Ein Mensch" by Eugen Roth.

The A. Henn Verlag, Ratingen, Germany, for permission to reprint the poem "Dezember" by Gustav Sichelschmidt (from: Gustav Sichelschmidt, *Kunterbunte Welt*).

The Otto Müller Verlag, Salzburg, Austria, for permission to reprint the poem "Verklärter Herbst" by Georg Trakl.

INHALTSVERZEICHNIS

xiv

LIEDER   77

SCHRIFTSTELLERVERZEICHNIS

STIMMEN AUS DEM STUNDENGLAS

DEUTSCHE GEDICHTE UND LIEDER

GEDICHTE

FISCHES NACHTGESANG

CHRISTIAN MORGENSTERN

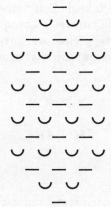

HUMOR

WILHELM BUSCH

Es sitzt ein Vogel auf dem Leim,
    Er flattert sehr und kann nicht heim.[1]
Ein schwarzer Kater schleicht herzu,
    Die Krallen scharf, die Augen gluh.[2]
5 Am Baum hinauf und immer höher
    Kommt er dem armen Vogel näher.
Der Vogel denkt: Weil das so ist
    Und weil mich doch der Kater frißt,[3]
So will ich keine Zeit verlieren,
10 Will noch ein wenig quinquilieren[4]
    Und lustig pfeifen wie zuvor.[5]
Der Vogel, scheint mir, hat Humor.

IM PARK

JOACHIM RINGELNATZ

Ein ganz kleines Reh stand am ganz kleinen Baum
Still und verklärt wie im Traum.
Das war des Nachts[1] elf Uhr zwei.[2]
Und dann kam ich um vier
5 Morgens wieder vorbei,
Und da träumte noch immer das Tier.

---

[1] **heim**: nach Hause, ins Nest.
[2] **gluh**: glühen, leuchten, glänzen.
[3] **frißt (fressen)**: Tiere fressen, Menschen essen!
[4] **quinquilieren**: singen.

[5] **zuvor**: vorher, früher.

[1] **des Nachts**: in der Nacht.
[2] **elf Uhr zwei**: zwei Minuten nach elf Uhr.

Nun schlich ich mich leise—ich atmete kaum—
Gegen den Wind an den Baum
Und gab dem Reh einen ganz kleinen Stips.[3]
10 Und da war es aus Gips.

VICE VERSA

CHRISTIAN MORGENSTERN

Ein Hase sitzt auf einer Wiese,
Des Glaubens,[1] niemand sähe diese.

Doch im Besitze eines Zeißes,[2]
Betrachtet voll gehaltnen[3] Fleißes

5 Vom vis-à-vis[4] gelegnen Berg
Ein Mensch den kleinen Löffelzwerg.[5]

Ihn aber blickt hinwiederum
Ein Gott von fern an, mild und stumm.

ECCE HOMO[1]

FRIEDRICH NIETZSCHE

Ja! Ich weiß, woher ich stamme![2]
Ungesättigt gleich[3] der Flamme
Glühe und verzehr' ich mich.

---

[3] **Stips:** Stoß.

[1] **des Glaubens:** er glaubt.
[2] **im Besitze eines Zeißes:** er hat ein
Fernglas, Binokel.
[3] **gehaltnen:** geduldigen.
[4] **vis-à-vis** (*fr.*): gegenüber.

[5] **Löffelzwerg:** kleiner Hase (**Löffel**=
Hasenohren).

[1] **ecce homo** (*lat.*): seht, ein Mensch!
[2] **woher ich stamme:** von wo ich her-
komme.
[3] **ungesättigt gleich:** hungrig wie.

Licht wird alles, was ich fasse,[4]
5   Kohle[5] alles, was ich lasse:[6]
Flamme bin ich sicherlich!

„EIN MENSCH"

EUGEN ROTH

Ein Mensch drückt gegen eine Türe,
Wild stemmt er sich, daß sie sich rühre![1]
Die schwere Türe, erzgegossen,[2]
Bleibt ungerührt[3] und fest verschlossen.
5   ...So geht's auch sonst in vielen Stücken:[4]
Dort, wo's zu ziehn gilt, hilft kein Drücken![5]

„ZU FRAGMENTARISCH"

HEINRICH HEINE

Zu fragmentarisch ist Welt und Leben!
Ich will mich zum deutschen Professor begeben,[1]
Der weiß das Leben zusammenzusetzen,
Und er macht ein verständlich System daraus;
5   Mit seinen Nachtmützen und Schlafrockfetzen
Stopft er die Lücken[2] des Weltenbaus.

---

[4] **fasse**: anfasse, angreife.
[5] **Kohle**: Asche.
[6] **ich lasse**: übrig bleibt.

[1] **rühre**: bewege.
[2] **erzgegossen**: aus Eisen gemacht.
[3] **bleibt ungerührt**: bewegt sich nicht.
[4] **Stücken**: Dingen.
[5] **dort, wo's zu ziehn gilt, hilft kein**

Drücken: wo man ziehen soll, nützt
es nichts zu drücken.

[1] **mich begeben**: hingehen. *Heine*
glaubt, deutsche Professoren seien
unfähige, unwissende Aufklärungs-
propheten.
[2] **Lücken**: Löcher.

AUFFORDERUNG ZUR BESCHEIDENHEIT[1]

ERICH KÄSTNER

Wie nun mal die Dinge liegen,[2]
und auch wenn es uns mißfällt:
Menschen sind wie Eintagsfliegen
an den Fenstern dieser Welt.

5   Unterschiede sind fast keine,
und was wär auch schon dabei![3]
Nur: die Fliege hat sechs Beine,
und der Mensch hat höchstens zwei!

DAS GLÜCK

HEINRICH HEINE

Das Glück ist eine leichte Dirne[1]
Und weilt[2] nicht gern am selben[3] Ort;
Sie streicht das Haar dir von der Stirne
Und küßt dich rasch[4] und flattert fort.[5]

5   Frau Unglück hat im Gegenteile
Dich liebefest[6] ans Herz gedrückt;
Sie sagt, sie habe keine Eile,
Setzt sich zu dir ans Bett und strickt.

---

[1] **Aufforderung zur Bescheidenheit:** Einladung zur Selbstkritik.
[2] **wie nun mal die Dinge liegen:** wie das Leben eben ist.
[3] **was wär auch schon dabei:** es ist gleich.

[1] **leichte Dirne:** unbeständiges Mädchen.
[2] **weilt:** bleibt, ist.
[3] **selben:** gleichen.
[4] **rasch:** schnell.
[5] **flattert fort:** fliegt weg.
[6] **liebefest:** sehr lieb und stark.

EIN FICHTENBAUM

HEINRICH HEINE

Ein Fichtenbaum steht einsam
Im Norden auf kahler Höh'.
Ihn schläfert;[1] mit weißer Decke
Umhüllen ihn Eis und Schnee.

5   Er träumt von einer Palme,
Die fern im Morgenland
Einsam und schweigend trauert[2]
Auf brennender Felsenwand.

DORIS UND DAMON

CHRISTIAN FELIX WEIßE

Lieber Damon, Dein Begehren[1]
Dich zu lieben, geh ich ein.[2]
Aber willst Du mir auch schwören,
Ewig mir getreu[3] zu sein?

5   Liebe Doris, Dein Begehren
Geh ich mit Entzücken[4] ein:
Aber willst Du mir auch schwören,
Ewig jung und schön zu sein?

---

[1] **ihn schläfert**: er ist müde, er will schlafen.
[2] **trauert**: traurig ist.
[1] **Begehren**: Wunsch.

[2] **geh ich ein**: stimme ich zu.
[3] **getreu**: treu.
[4] **Entzücken**: Freude, Begeisterung.

„DIE BLAUEN VEILCHEN DER ÄUGELEIN"

HEINRICH HEINE

      Die blauen Veilchen der Äugelein,
      Die roten Rosen der Wängelein,
      Die weißen Lilien der Händchen klein,
      Die blühen und blühen noch immerfort,[1]
5   Und nur das Herzchen ist verdorrt.[2]

HARFENSPIELER

JOHANN WOLFGANG VON GOETHE

      Wer nie sein Brot mit Tränen aß,
      Wer nie die kummervollen Nächte[1]
      Auf seinem Bette weinend saß,
      Der kennt euch nicht, ihr himmlischen Mächte.[2]

5   Ihr führt ins Leben uns hinein,
      Ihr laßt den Armen[3] schuldig werden,
      Dann überlaßt ihr ihn der Pein:[4]
      Denn alle Schuld rächt sich auf Erden.

WANDERERS NACHTLIED II

JOHANN WOLFGANG VON GOETHE

      Über allen Gipfeln[1]
      Ist Ruh,

---

[1] **blühen noch immerfort:** blühen immer weiter.
[2] **verdorrt:** vertrocknet.

[1] **die kummervollen Nächte:** während sorgenvoller, trauriger Nächte.

[2] **himmlischen Mächte:** Götter.
[3] **Armen:** hilflosen Menschen.
[4] **Pein:** Schmerz.

[1] **Gipfeln:** Bergspitzen.

In allen Wipfeln[2]
Spürest du
5   Kaum einen Hauch:
Die Vögelein schweigen im Walde.
Warte nur! Balde[3]
Ruhest du auch.

DER TOD UND DAS MÄDCHEN

MATTHIAS CLAUDIUS

Das Mädchen: Vorüber![1] Ach, vorüber!
geh, wilder Knochenmann![2]
Ich bin noch jung, geh, Lieber!
und rühre mich nicht an.

5   *Der Tod:*   Gib deine Hand, du schön und zart Gebild!
Bin[3] Freund und komme nicht zu strafen.
Sei gutes Muts![4] ich bin nicht wild,
sollst[5] sanft in meinen Armen schlafen!

SCHLIEßE MIR DIE AUGEN BEIDE

THEODOR STORM

Schließe mir die Augen beide
Mit den lieben Händen zu!
Geht doch alles, was ich leide,
Unter deiner Hand zur Ruh.[1]

---

[2] **Wipfeln:** Baumkronen.
[3] **balde:** bald.

[1] **vorüber:** geh vorbei!
[2] **Knochenmann:** Skelett, Tod.
[3] **bin:** ich bin.

[4] **sei gutes Muts:** habe keine Angst.
[5] **sollst:** du sollst.

[1] **geht ... zur Ruh:** es wird still, hört auf.

5 Und wie leise sich der Schmerz
Well um Welle[2] schlafen leget,
Wie der letzte Schlag[3] sich reget,[4]
Füllest du mein ganzes Herz.

IN DER FRÜHE[1]

THEODOR STORM

Goldstrahlen schießen übers Dach,
Die Hähne krähen den Morgen wach;
Nun einer hier, nun einer dort,
So kräht es nun von Ort zu Ort;
5 Und in der Ferne stirbt der Klang—
Ich höre nichts, ich horche lang.
Ihr wackern Hähne, krähet doch!
Sie[2] schlafen immer, immer noch.

SEPTEMBERMORGEN

EDUARD MÖRIKE

Im Nebel ruhet noch die Welt,
Noch träumen Wald und Wiesen:
Bald siehst du, wenn der Schleier[1] fällt,
Den blauen Himmel unverstellt,[2]
5 Herbstkräftig die gedämpfte[3] Welt
In warmem Golde[4] fließen.

---

[2] **Well um Welle:** langsam.
[3] **Schlag:** Herzschlag.
[4] **sich reget:** sich bewegt.

[1] **in der Frühe:** am Morgen.
[2] **sie:** die Menschen.

[1] **Schleier:** Nebelschleier.
[2] **unverstellt:** ohne Nebel, klar.
[3] **gedämpfte:** weiche, ruhige, stille Farben des Herbstes.
[4] **Golde:** Sonnenstrahlen.

11

ÄRGERLICH

WILHELM BUSCH

Aus der Mühle schaut der Müller,
Der so gerne mahlen will.
Stiller wird der Wind und stiller,[1]
Und die Mühle stehet still.
5   So geht's immer, wie ich finde,[2]
Rief der Müller voller Zorn.
Hat man Korn,[3] so fehlt's am Winde,[4]
Hat man Wind, so fehlt's am Korn.[5]

DAS HUHN

CHRISTIAN MORGENSTERN

In der Bahnhofhalle, nicht für es gebaut,
Geht ein Huhn
Hin und her...
Wo, wo ist der Herr Stationsvorsteh'r?
5   Wird dem Huhn
Man nichts tun?
Hoffen wir es! Sagen wir es laut:
Daß ihm unsre Sympathie gehört,
Selbst[1] an dieser Stätte,[2] wo es— ,stört'![3]

---

[1] **stiller wird der Wind und stiller**: der Wind weht nicht mehr.
[2] **so geht's immer, wie ich finde**: es ist immer dasselbe, fällt mir auf.
[3] **hat man Korn**: wenn man Korn hat.
[4] **fehlt's am Winde**: weht der Wind nicht.

[5] **fehlt's am Korn**: hat man kein Korn.

[1] **selbst**: sogar.
[2] **Stätte**: Ort, Platz.
[3] **wo es— ,stört'!**: wo das Huhn im Wege ist.

DIE DREI SPATZEN

CHRISTIAN MORGENSTERN

In einem leeren Haselstrauch
Da sitzen drei Spatzen, Bauch an Bauch.[1]

Der Erich rechts und links der Franz
Und mittendrin[2] der freche Hans.

5   Sie haben die Augen zu, ganz zu,
Und obendrüber,[3] da schneit es, hu!

Sie rücken zusammen dicht, ganz dicht,
So warm wie der Hans hat's niemand nicht.[4]

Sie hörn alle drei ihrer Herzlein Gepoch.[5]
10   Und wenn sie nicht weg sind, so sitzen sie noch.

DER LATTENZAUN

CHRISTIAN MORGENSTERN

Es war einmal ein Lattenzaun,
mit Zwischenraum, hindurchzuschaun.[1]

Ein Architekt, der dieses[2] sah,
stand eines Abends plötzlich da—

5   und nahm den Zwischenraum heraus
und baute draus[3] ein großes Haus.

---

[1] **Bauch an Bauch:** eng beisammen.
[2] **mittendrin:** in der Mitte.
[3] **obendrüber:** auf die drei Spatzen.
[4] **hat's niemand nicht:** hat es keiner der anderen zwei Spatzen.

[5] **Gepoch:** Klopfen.

[1] **hindurchzuschaun:** um durchzusehen.
[2] **dieses:** den Lattenzaun mit Zwischenraum.
[3] **draus:** daraus.

Der Zaun indessen stand ganz dumm,
mit Latten ohne was[4] herum,

ein Anblick gräßlich und gemein.
10   Drum[5] zog ihn der Senat auch ein.[6]

Der Architekt jedoch entfloh
nach Afri-od-Ameriko.[7]

DER UNENTBEHRLICHE

WILHELM BUSCH

Wirklich, er war unentbehrlich!
Überall, wo was[1] geschah
Zu dem Wohle der Gemeinde,
Er war tätig, er war da.

5   Schützenfest, Kasinobälle,
Pferderennen, Preisgericht,
Liedertafel, Spritzenprobe,
Ohne ihn da ging es nicht.

Ohne ihn war nichts zu machen,
10   Keine Stunde hat er frei.
Gestern, als sie ihn begruben,
War er richtig[2] auch dabei.

---

[4] **ohne was**: ohne Zwischenraum.
[5] **drum**: darum.
[6] **zog . . . ein**: konfiszierte.
[7] **Afri-od-Ameriko**: Afrika oder Amerika.

[1] **was**: etwas.
[2] **richtig**: sogar, wirklich.

DER PFLAUMENBAUM

BERTOLT BRECHT

Im Hofe steht ein Pflaumenbaum,
Der ist klein, man glaubt es kaum.
Er hat ein Gitter drum,[1]
So tritt ihn keiner um.

5   Der Kleine kann nicht größer wer'n.[2]
Ja, größer wer'n, das möcht er gern;
's ist keine Red davon,[3]
Er hat zu wenig Sonn.[4]

Den Pflaumenbaum glaubt man ihm kaum,
10   Weil er nie eine Pflaume hat.
Doch er ist ein Pflaumenbaum,
Man kennt es an dem Blatt.

PSYCHE[1]

HEINRICH HEINE

In der Hand die kleine Lampe,
In der Brust die große Glut,
Schleichet Psyche zu dem Lager,
Wo der holde[2] Schläfer ruht.

5   Sie errötet[3] und sie zittert
Wie sie seine Schönheit sieht—
Der enthüllte[4] Gott der Liebe,
Er erwacht und er entflieht.[5]

---

[1] drum: um sich herum.
[2] wer'n: werden.
[3] 's ist keine Red davon: es ist unmöglich.
[4] Sonn: Sonne.

[1] Psyche: griechische Göttergestalt, die Seele.
[2] holde: schöne.
[3] errötet: ihr Gesicht wird rot.
[4] enthüllte: nackte.
[5] entflieht: läuft weg.

15

Achtzehnhundertjähr'ge Buße!
10 Und die Ärmste[6] stirbt beinah!
Psyche fastet und kasteit sich,
Weil sie Amorn[7] nackend sah.

LEBENSGRUß[1]
STAMMBUCHBLATT[2]

HEINRICH HEINE

Eine große Landstraß' ist unsere Erd',
Wir Menschen sind Passagiere;
Man rennet und jaget, zu Fuß und zu Pferd,
Wie Läufer oder Kuriere.

5 Man fährt sich vorüber,[3] man nicket, man grüßt
Mit dem Taschentuch aus der Karosse;
Man hätte sich gerne geherzt und geküßt,
Doch jagen von hinnen[4] die Rosse.

Kaum trafen wir uns auf derselben Station,
10 Herzliebster Prinz Alexander,[5]
Da bläst schon zur Abfahrt der Postillon,
Und bläst uns schon auseinander.

„DER STURM"

HEINRICH HEINE

Der Sturm spielt auf zum Tanze,
Er pfeift und saust und brüllt;

---

[6] **Ärmste**: arme Psyche.
[7] **Amorn** (*Akk.*): Liebesgott.

[1] **Lebensgruß**: ein Wunsch fürs Leben.
[2] **Stammbuchblatt**: eine Seite aus einem Album.

[3] **man fährt sich vorüber**: man fährt aneinander vorbei.
[4] **von hinnen**: weg.
[5] **Prinz Alexander**: erfundener Name.

16

Heisa! wie springt das Schifflein!
Die Nacht ist lustig und wild.

5 Ein lebendes Wassergebirge
Bildet die tosende See;
Hier gähnt ein schwarzer Abgrund,
Dort türmt es sich weiß in die Höh'.

Ein Fluchen, Erbrechen und Beten
10 Schallt aus der Kajüte[1] heraus;
Ich halte mich fest am Mastbaum,
Und wünsche: wär' ich zu Haus.

VERKLÄRTER HERBST

GEORG TRAKL

Gewaltig endet so das Jahr
Mit goldnem Wein und Frucht der Gärten.
Rund[1] schweigen Wälder wunderbar
Und sind des Einsamen Gefährten.[2]

5 Da sagt der Landmann:[3] Es ist gut.
Ihr Abendglocken lang und leise
Gebt noch zum Ende frohen Mut.
Ein Vogelzug grüßt auf der Reise.

Es ist der Liebe milde Zeit.[4]
10 Im Kahn[5] den blauen Fluß hinunter
Wie schön sich Bild an Bildchen reiht[6]—
Das geht in Ruh und Schweigen unter.[7]

---

[1] **Kajüte** (*fr.—niederl.*): Kabine.

[1] **rund**: rund umher, im Umkreis.
[2] **Gefährten**: Freunde, Begleiter.
[3] **Landmann**: Bauer.

[4] **es ist der Liebe milde Zeit**: es ist die
milde Zeit der Liebe.
[5] **Kahn**: Boot.
[6] **sich . . . reiht**: aneinanderreiht, aufeinander folgt.
[7] **geht . . . unter**: verschwindet.

HERBSTTAG

RAINER MARIA RILKE

Herr:[1] es ist Zeit. Der Sommer war sehr groß.
Leg deinen Schatten auf die Sonnenuhren,
Und auf den Fluren[2] laß die Winde los.

Befiehl den letzten Früchten voll zu sein;[3]
5   Gib ihnen noch zwei südlichere[4] Tage,
Dränge sie zur Vollendung hin[5] und jage
Die letzte Süße in den schweren Wein.

Wer jetzt kein Haus hat, baut sich keines mehr,
Wer jetzt allein ist, wird es lange bleiben,
10   Wird wachen, lesen, lange Briefe schreiben
Und wird in den Alleen hin und her
Unruhig wandern, wenn die Blätter treiben.[6]

DER PANTHER

(Im Jardin des Plantes,[1] Paris)

RAINER MARIA RILKE

Sein Blick ist vom Vorübergehn der Stäbe
so müd geworden, daß er nichts mehr hält.[2]
Ihm ist,[3] als ob es tausend Stäbe gäbe
und hinter tausend Stäben keine Welt.

---

[1] **Herr**: Herrgott.
[2] **Fluren**: Wiesen und Felder.
[3] **voll zu sein**: zu reifen.
[4] **südlichere**: wärmere.
[5] **dränge sie zur Vollendung hin**: laß sie reifen.

[6] **die Blätter treiben**: der Wind weht die Blätter von den Bäumen.
[1] **Jardin des Plantes**: zoologischer Garten in Paris.
[2] **hält**: sieht, bemerkt.
[3] **ihm ist**: es scheint dem Panther.

5 Der weiche Gang geschmeidig starker Schritte,
der sich im allerkleinsten Kreise dreht,
ist wie ein Tanz von Kraft um eine Mitte,
in der betäubt ein großer Wille steht.

Nur manchmal schiebt der Vorhang der Pupille[4]
10 sich lautlos auf.—Dann geht ein Bild hinein,
geht durch der Glieder angespannte Stille—
und hört im Herzen auf zu sein.

DEZEMBER

GUSTAV SICHELSCHMIDT

Der Zeiger[1] dreht sich unverwandt.[2]
Geht alles nun zu End.[3]
Schon führt der Winter hierzuland[4]
Sein strenges Regiment.

5 Es knirscht der Schnee. Es klirrt das Eis.
Bald ist das Jahr herum,[5]
Und durch die Gassen geht schon leis
Das liebe Christkind um.

Das Jahr ist müd, will schlafen gehn,
10 Möcht endlich seine Ruh,
Hat viel gehört, hat viel gesehn
Und zieht den Vorhang zu.

---

[4] **der Vorhang der Pupille:** das Augen-lid.

---

[1] **Zeiger:** Uhrzeiger

[2] **unverwandt:** immer weiter.
[3] **geht . . . zu End:** es hört auf.
[4] **hierzuland:** in diesem Land, hier.
[5] **herum:** vorbei, zu Ende.

DAS TOTE KIND

CONRAD FERDINAND MEYER

Es[1] hat den Garten sich zum Freund gemacht,
Dann welkten es und er[2] im Herbste sacht,
Die Sonne ging und es und er entschlief,
Gehüllt in eine Decke weiß und tief.

5   Jetzt ist der Garten unversehns[3] erwacht,
Die Kleine schlummert fest in ihrer Nacht.[4]
„Wo steckst du?"[5] summt es dort und summt es hier.
Der ganze Garten frägt[6] nach ihr, nach ihr.

Die blaue Winde[7] klettert schlank empor
10   Und blickt ins Haus: „Komm hinterm Schrank hervor!
Wo birgst du dich?[8] Du tust dir's selbst zu leid![9]
Was hast du für ein neues Sommerkleid?"

TOD IN ÄHREN[1]

DETLEV VON LILIENCRON

Im Weizenfeld, in Korn und Mohn,
Liegt ein Soldat unaufgefunden,[2]
Zwei Tage schon, zwei Nächte schon,
Mit schweren Wunden, unverbunden.

---

[1] **es:** das Kind.
[2] **es und er:** das Kind und der Garten.
[3] **unversehns:** plötzlich.
[4] **in ihrer Nacht:** in ihrem Todesschlaf.
[5] **wo steckst du?:** wo bist du?
[6] **frägt:** fragt.
[7] **die blaue Winde:** die blaue Kletterblume.

[8] **wo birgst du dich?:** wo versteckst du dich?
[9] **du tust dir's selbst zu leid:** du versäumst die schöne Zeit des Sommers!

---

[1] **Tod in Ähren:** Wortspiel mit „Tod in Ehren".
[2] **unaufgefunden:** nicht gefunden, nicht entdeckt, ohne Hilfe.

5   Durstüberquält[3] und fieberwild,
Im Todeskampf den Kopf erhoben.
Ein letzter Traum, ein letztes Bild;
Sein brechend Auge[4] schlägt nach oben.

Die Sense sirrt[5] im Ährenfeld,
10   Er sieht sein Dorf im Arbeitsfrieden.[6]
Ade, ade, du Heimatwelt[7]—
Und beugt das Haupt und ist verschieden.[8]

BRÜDER

HEINRICH LERSCH

Es lag schon lang ein Toter vor unserm Drahtverhau,
Die Sonne auf ihm glühte, ihn kühlte Wind und Tau.

Ich sah ihm alle Tage[1] in sein Gesicht hinein,
Und immer fühlt ich's fester: Es muß mein Bruder sein.

5   Ich sah in allen Stunden, wie er so vor mir lag,
Und hörte seine Stimme aus frohem Friedenstag.[2]

Oft in der Nacht ein Weinen, das aus dem Schlaf mich trieb:[3]
Mein Bruder, lieber Bruder—hast du mich nicht mehr lieb?

Bis ich, trotz allen Kugeln, zur Nacht[4] mich ihm genaht
10   Und ihn geholt.[5]—Begraben:—Ein fremder Kamerad.[6]

---

[3] **durstüberquält:** vom Durst sehr gepeinigt, sehr durstig.
[4] **sein brechend Auge:** sein sterbender Blick.
[5] **sirrt:** tönt, surrt.
[6] **im Arbeitsfrieden:** in friedlicher Arbeit.
[7] **Heimatwelt:** Heimat.
[8] **verschieden:** tot.

[1] **alle Tage:** jeden Tag.
[2] **Friedenstag:** als noch Friede war.
[3] **das aus dem Schlaf mich trieb:** daß ich nicht schlafen konnte.
[4] **zur Nacht:** nachts, in der Nacht.
[5] **und ihn geholt (habe).**
[6] **ein fremder Kamerad:** ein unbekannter Soldat.

Es irrten meine Augen.—Mein Herz, du irrst dich nicht:
Es hat ein jeder Toter des Bruders Angesicht.[7]

„GENERAL"

BERTOLT BRECHT

GENERAL, DEIN TANK IST EIN STARKER WAGEN.
Er bricht einen Wald nieder und zermalmt[1] hundert Menschen.
Aber er hat einen Fehler:
Er braucht einen Fahrer.

5   General, dein Bombenflugzeug ist stark.
Es fliegt schneller als ein Sturm und trägt mehr als ein Elefant.
Aber es hat einen Fehler:
Es braucht einen Monteur.[2]

General, der Mensch ist sehr brauchbar.
10   Er kann fliegen, und er kann töten.
Aber er hat einen Fehler:
Er kann denken.

LIED EINER DEUTSCHEN MUTTER

BERTOLT BRECHT

Mein Sohn, ich hab dir die Stiefel
Und dies[1] braune Hemd[2] geschenkt:
Hätt ich gewußt, was ich heut weiß
Hätt ich lieber mich aufgehängt.

---

[7] **Angesicht:** Gesicht.

[1] **zermalmt:** tötet.
[2] **Monteur:** Mechaniker.

[1] **dies:** dieses.
[2] *Die Anhänger Hitlers trugen braune Hemden.*

5   Mein Sohn, als ich deine Hand sah
     Erhoben zum Hitlergruß
     Wußt ich nicht, daß dem, der ihn[3] grüßet
     Die Hand verdorren[4] muß.

     Mein Sohn, ich hörte dich reden
10   Von einem Heldengeschlecht.
     Wußte nicht, ahnte nicht, sah nicht:
     Du warst ihr Folterknecht.

     Mein Sohn, und ich sah dich marschieren
     Hinter dem Hitler her
15   Und wußt nicht, daß wer mit ihm auszieht[5]
     Zurück kehrt er nimmermehr.[6]

     Mein Sohn, du sagtest mir, Deutschland
     Wird nicht mehr zu kennen sein.
     Wußt nicht, es würde werden
20   Zu Asch und blutigem Stein.

     Sah das braune Hemd dich tragen
     Hab mich nicht dagegen gestemmt[7]
     Denn ich wußte nicht, was ich heut weiß:
     Es war dein Totenhemd.

DIE KRÜCKEN

BERTOLT BRECHT

     Sieben Jahre wollt kein Schritt mir glücken.[1]
     Als ich zu dem großen Arzte kam
     Fragte er: Wozu die Krücken?
     Und ich sagte: Ich bin lahm.

---

[3] **ihn**: den Hitlergruß.
[4] **verdorren**: vertrocknen.
[5] **auszieht**: ins Feld geht, im Krieg kämpft.

[6] **nimmermehr**: nicht mehr.
[7] **gestemmt**: gewehrt.
[1] **mir glücken**: mir gelingen.

₅ Sagte er: Das ist kein Wunder.
Sei so freundlich, zu probieren![2]
Was dich lähmt, ist dieser Plunder.
Geh, fall, kriech auf allen vieren![3]

Lachend wie ein Ungeheuer
₁₀ Nahm[4] er mir die schönen Krücken
Brach sie durch auf meinem Rücken
Warf sie lachend in das Feuer.

Nun, ich bin kuriert: ich gehe.
Mich kurierte ein Gelächter.
₁₅ Nur zuweilen,[5] wenn ich Hölzer[6] sehe
Gehe ich für Stunden[7] etwas schlechter.

LIED DES LYNKEUS[1]

JOHANN WOLFGANG VON GOETHE

Zum Sehen geboren,
Zum Schauen bestellt,
Dem Turme geschworen
Gefällt mir die Welt.
₅ Ich blick' in die Ferne,
Ich seh' in der Näh'
Den Mond und die Sterne,
Den Wald und das Reh.
So seh' ich in allen
₁₀ Die ewige Zier,
Und wie mir's gefallen,

---

[2] **probieren:** versuchen.
[3] **auf allen vieren:** auf Händen und
Füßen!
[4] **nahm:** nahm weg.
[5] **zuweilen:** manchmal.

[6] **Hölzer:** Krücken.
[7] **für Stunden:** einige Stunden lang.

---

[1] **Lynkeus:** Steuermann des Schiffes
der Argonauten.

Gefall' ich auch mir.[2]
Ihr glücklichen Augen,
Was je ihr[3] gesehn,
15 Es sei wie es wolle,
Es war doch so schön!

DIE STADT

THEODOR STORM

Am grauen Strand, am grauen Meer
Und seitab[1] liegt die Stadt;
Der Nebel drückt die Dächer schwer,[2]
Und durch die Stille braust das Meer
5 Eintönig um die Stadt.

Es rauscht kein Wald, es schlägt[3] im Mai
Kein Vogel ohn' Unterlaß;[4]
Die Wandergans mit hartem Schrei
Nur fliegt in Herbstesnacht vorbei,
10 Am Strande weht das Gras.

Doch hängt mein ganzes Herz an dir,
Du graue Stadt am Meer;
Der Jugend Zauber[5] für und für[6]
Ruht lächelnd doch auf dir, auf dir,
15 Du graue Stadt am Meer.

---

[2] **und wie mir's gefallen,** / **Gefall' ich auch mir:** ich bin mit dem Anblick und darum auch mit mir zufrieden.
[3] **ihr:** meine Augen.

[1] **seitab:** abseits, in der Nähe.

[2] **drückt . . . schwer:** liegt schwer auf.
[3] **schlägt:** singt.
[4] **ohn' Unterlaß:** ohne aufzuhören.
[5] **Zauber:** Magie.
[6] **für und für:** immer noch.

NAPOLEON IM KREML

CONRAD FERDINAND MEYER

Er nickt[1] mit seinem großen Haupt
Am Feuer eines fremden Herds:[2]
Im Traum erblickt[3] er einen Geist,
Der seines Purpurs[4] Spange löst.[5]

5   Der Dämon schreit mit wilder Gier:
„Mich lüstet[6] nach dem roten Kleid!
In ungezählter Menschen Blut
Getaucht, verfärbt der Purpur nicht."

Die beiden[7] rangen[8] Leib an Leib.
10   „Gib her!" „Gib her!" Der Dämon fleucht[9]
Mit spitzen Flügeln durch die Nacht
Und schleift den Purpur hinter sich.

Und wo der Purpur flatternd fliegt,
Sprühn Funken, lodern Flammen auf!
15   Der Korse[10] fährt aus seinem Traum[11]
Und starrt in Moskaus weiten[12] Brand.[13]

NACH EINEM NIEDERLÄNDER[1]

CONRAD FERDINAND MEYER

Der Meister malt ein kleines zartes Bild.
Zurückgelehnt, beschaut er's liebevoll.

---

[1] **nickt**: schläft, schlummert.
[2] **Herds**: Ofens.
[3] **erblickt**: sieht.
[4] **seines Purpurs**: seines roten Mantels, Kleides.
[5] **löst**: aufmacht, öffnet.
[6] **mich lüstet**: ich möchte, ich will.
[7] **die beiden**: der Dämon und Napoleon.
[8] **rangen**: kämpften.
[9] **fleucht** (*veraltet*): flieht.

[10] **Korse**: Napoleon war aus Korsika.
[11] **fährt aus seinem Traum**: wacht auf.
[12] **weiten**: großen.
[13] *Das berühmte Feuer in Moskau im September 1812, dessen Ursache bis heute ungeklärt ist.*

[1] **nach einem Niederländer**: nach einem niederländischen Gemälde, Bild.

Es pocht.[2] „Herein." Ein flämischer Junker ist's,
Mit einer drallen, aufgedonnerten Dirn',[3]
5   Der vor Gesundheit fast die Wange birst.[4]
Sie rauscht von Seide, flimmert von Geschmeid'.[5]
„Wir haben's eilig,[6] lieber Meister. Wißt,[7]
Ein wackrer Schelm stiehlt mir das Töchterlein.
Morgen ist Hochzeit. Malet mir mein Kind!"
10 „Zur Stunde,[8] Herr! Nur noch den Pinselstrich!"
Sie treten lustig vor die Staffelei:
Auf einem blanken[9] Kissen schlummernd liegt
Ein feiner Mädchenkopf. Der Meister setzt
Des Blumenkranzes tiefste Knospe noch
15 Auf die verblichne Stirn mit leichter Hand.[10]
— „Nach der Natur?"[11]—„Nach der Natur. Mein Kind.
Gestern beerdigt.[12] Herr, ich bin zu Dienst."[13]

DIE BEIDEN

HUGO VON HOFMANNSTHAL

Sie trug den Becher[1] in der Hand,
—Ihr Kinn und Mund glich seinem Rand[2]—,
So leicht und sicher war ihr Gang,
Kein Tropfen aus dem Becher sprang.

---

[2] **es pocht**: es klopft.
[3] **drallen, aufgedonnerten Dirn'**: wohlgenährten, geschmückten Mädchen.
[4] **birst (bersten)**: zerspringt.
[5] **Geschmeid'**: Schmuck.
[6] **wir haben's eilig**: machen Sie schnell, wir sind in Eile.
[7] **wißt**: Sie sollen wissen.
[8] **zur Stunde**: sofort, gleich.
[9] **blanken**: weißen.
[10] **der Meister setzt/Des Blumenkranzes tiefste Knospe noch/Auf die verblichne Stirn mit leichter Hand**: der

Maler malt noch die letzte, unterste Knospe des Blumenkranzes auf die Stirn des toten Mädchens.
[11] **nach der Natur**: aus dem Leben, nach einem Modell, nach der Wirklichkeit.
[12] **beerdigt**: begraben.
[13] **ich bin zu Dienst**: nun kann ich Ihnen dienen.

---

[1] **Becher**: Glas.
[2] **glich seinem Rand**: war wie der Rand des Bechers.

⁵ So leicht und fest war seine Hand:
Er ritt auf einem jungen Pferde,
Und mit nachlässiger Gebärde[3]
Erzwang er, daß es zitternd stand.

Jedoch, wenn er aus ihrer Hand
¹⁰ Den leichten Becher nehmen sollte,
So war es beiden allzuschwer:[4]
Denn beide bebten[5] sie so sehr,
Daß keine Hand die andre fand
Und dunkler Wein am Boden rollte.

„FENSTER"

STEFAN GEORGE[1]

Fenster wo ich einst mit dir
Abends[2] in die landschaft sah
Sind nun hell mit fremdem licht.

Pfad[3] noch läuft vom tor wo du
⁵ Standest ohne umzuschaun[4]
Dann ins tal hinunterbogst.

Bei der kehr warf nochmals auf
Mond dein bleiches angesicht[5] . . .
Doch es war zu spät zum ruf.[6]

¹⁰ Dunkel-schweigen-starre luft
Sinkt wie damals um das haus.
Alle freude nahmst du mit.

---

[3] **Gebärde:** Bewegung.
[4] **allzuschwer:** viel zu schwer.
[5] **bebten:** zitterten.

---

[1] *George verwendete im Deutschen immer die Kleinschreibung. Hier fehlen auch die Kommas und teilweise die Artikel.*

[2] **Abends:** am Abend.
[3] **Pfad:** der Weg.
[4] **umzuschaun:** zurückzusehen.
[5] **bei der kehr warf nochmals auf/ Mond dein bleiches angesicht:** bei der Biegung reflektierte der Mond dein weißes Gesicht noch einmal.
[6] **zum ruf:** um zu rufen.

VOGELSCHAU

STEFAN GEORGE[1]

Weiße schwalben sah ich fliegen·
Schwalben schnee-und silberweiß·
Sah sie sich im winde wiegen·
In dem winde hell und heiß.[2]

5 Bunte häher sah ich hüpfen·
Papagei und kolibri
Durch die wunder-bäume schlüpfen
In dem wald der tusferi.[3]

Große raben sah ich flattern·
10 Dohlen schwarz und dunkelgrau
Nah am grunde über nattern
Im verzauberten gehau.

Schwalben seh ich wieder fliegen·
Schnee- und silberweiße schar·
15 Wie sie sich im winde wiegen
In dem winde kalt und klar![4]

„MEIN KIND KAM HEIM"

STEFAN GEORGE

Mein kind kam heim.
Ihm weht der seewind noch im haar·

---

[1] *Man beachte auch bei George die Satzzeichensetzung, hier z.B. besonders die Bindestriche und Punkte.*

[2] **in dem winde hell und heiß:** im hellen und heißen Wind.

[3] **wald der tusferi:** Zauberwald, sorgenfreier Aufenthalt.

[4] **in dem winde kalt und klar:** im kalten und klaren Wind.

Noch wiegt sein tritt
Bestandne furcht und junge lust der fahrt.[1]

5   Vom salzigen sprühn
Entflammt noch seiner wange brauner schmelz:[2]
Frucht schnell gereift
In fremder sonnen[3] wildem duft und brand.[4]

Sein blick ist schwer
10   Schon vom geheimnis das ich niemals weiß
Und leicht umflort[5]
Da er vom lenz[6] in unsern winter traf.[7]

So offen quoll
Die knospe auf[8] daß ich fast scheu sie sah[9]
15   Und mir verbot
Den mund der einen mund zum kuß schon kor.[10]

Mein arm umschließt
Was unbewegt von mir zu andrer welt
Erblüht und wuchs—
20   Mein eigentum und mir unendlich fern.

---

[1] **noch wiegt sein tritt / Bestandne furcht und junge lust der fahrt:** sein Schritt zeugt von durchlebter Angst und jugendlicher Freude auf der Reise.
[2] **vom salzigen sprühn / Entflammt noch seiner wange brauner schmelz:** vom Sprühen des salzigen Meerwassers ist seine braune, jugendfrische Wange noch gerötet.
[3] **sonnen** (*poetisch*): Sonne.
[4] **brand:** Feuer.
[5] **sein blick ist ... leicht umflort:** sein Blick ist umschleiert, vage, fern.
[6] **lenz:** Frühling, Wärme.
[7] **traf:** kam.
[8] **So offen quoll / Die knospe auf:** so hatte sich die Knospe geöffnet (*d.h. so erwachsen war das Kind geworden*).
[9] **sah:** ansah.
[10] **und mir verbot / Den mund der einen mund zum kuß schon kor** (kiesen *oder* küren): ich erlaubte mir nicht, den Mund zu küssen, der schon einen anderen Mund zum Küssen gewählt (gefunden) hatte.

DER ASRA[1]

HEINRICH HEINE

Täglich ging die wunderschöne
Sultanstochter auf und nieder
Um die Abendzeit am Springbrunn,
Wo die weißen Wasser plätschern.

5   Täglich stand der junge Sklave
Um die Abendzeit am Springbrunn,
Wo die weißen Wasser plätschern;
Täglich ward er bleich und bleicher.

Eines Abends trat die Fürstin
10   Auf ihn zu[2] mit raschen Worten:
„Deinen Namen will ich wissen,
Deine Heimat, deine Sippschaft!"

Und der Sklave sprach: „Ich heiße
Mohammet, ich bin aus Yemen,[3]
15   Und mein Stamm sind jene Asra,
Welche sterben, wenn sie lieben."

„SIE SASSEN UND TRANKEN AM TEETISCH"

HEINRICH HEINE

Sie saßen und tranken am Teetisch,
Und sprachen von Liebe viel.
Die Herren, die waren ästhetisch,
Die Damen von zartem Gefühl.

5   Die Liebe muß sein platonisch,
Der dürre Hofrat sprach.

---

[1] **Asra:** ein arabischer Volksstamm.
[2] **trat ... auf ihn zu:** sie ging zu ihm.

[3] **Yemen:** Königreich im Südwesten der arabischen Halbinsel.

Die Hofrätin lächelt ironisch,
Und dennoch seufzet sie: Ach!

10 Der Domherr öffnet den Mund weit:
Die Liebe sei nicht zu roh,
Sie schadet sonst der Gesundheit.
Das Fräulein lispelt: Wieso?

Die Gräfin spricht wehmütig:
Die Liebe ist eine Passion!
15 Und präsentieret gütig
Die Tasse dem Herrn Baron.

Am Tische war noch ein Plätzchen;
Mein Liebchen, da hast du gefehlt.[1]
Du hättest so hübsch, mein Schätzchen,
20 Von deiner Lieb erzählt.

DAS LIED VOM FLOH

JOHANN WOLFGANG VON GOETHE

Es war einmal ein König,
Der hatt' einen großen Floh,
Den liebt er gar nicht wenig,
Als wie seinen eignen Sohn.
5 Da rief er seinen Schneider,
Der Schneider kam heran:
„Da, miß dem Junker Kleider
Und miß ihm Hosen an!"

In Sammet und in Seide
10 War er nun angetan,[1]

---

[1] **da hast du gefehlt:** wir haben dich   [1] **angetan:** angekleidet.
vermißt.

Hatte Bänder auf dem Kleide,
Hatt' auch ein Kreuz[2] daran,
Und war sogleich Minister,
Und hatt' einen großen Stern.[3]
15 Da wurden seine Geschwister
Bei Hof auch große Herr'n.

Und Herr'n und Frau'n am Hofe,
Die waren sehr geplagt,
Die Königin und die Zofe
20 Gestochen und genagt,
Und durften sie nicht knicken[4]
Und weg sie jucken[5] nicht.
Wir knicken und ersticken
Doch gleich, wenn einer sticht.

KLEINE GESCHICHTE

CHRISTIAN MORGENSTERN

Litt einst ein Fähnlein große Not,[1]
halb war es gelb, halb war es rot,
und wollte gern zusammen
zu einer lichten Flammen.[2]

5 Es zog sich, wand sich, wellte sich,
es knitterte, es schnellte sich,—
umsonst! es mocht' nicht glücken,[3]
die Naht zu überbrücken.

---

[2] **Kreuz:** Orden, Auszeichnung.
[3] **Stern:** Orden, Auszeichnung.
[4] **knicken:** töten.
[5] **weg sie jucken:** sie wegkratzen.

[1] **litt einst ein Fähnlein große Not:**
eine kleine Fahne (=Flagge) hatte
einmal große Sorgen.

[2] **und wollte gern zusammen / zu einer
lichten Flammen:** die kleine Fahne
wollte gerne *eine* helle, leuchtende
Farbe haben.

[3] **nicht glücken:** nicht gelingen, es war
nicht möglich.

Da kam ein Wolkenbruch[4] daher
10 und wusch das Fähnlein kreuz und quer,[5]
daß Rot und Gelb, zerflossen,
voll Inbrunst sich genossen.

Des Fähnleins Herren freilich[6] war
des Vorgangs Freudigkeit nicht klar—
15 indes, die sich besaßen,[7]
nun alle Welt vergaßen.

DER WERWOLF

CHRISTIAN MORGENSTERN

Ein Werwolf eines Nachts entwich
von Weib und Kind und sich begab
an eines Dorfschullehrers Grab
und bat ihn: „Bitte, beuge mich!"[1]

5 Der Dorfschulmeister stieg hinauf
auf seines Blechschilds Messingknauf
und sprach zum Wolf,[2] der seine Pfoten
geduldig kreuzte vor dem Toten:

„Der Werwolf," sprach der gute Mann,
10 „des Weswolfs, Genitiv sodann,
dem Wemwolf, Dativ, wie man's nennt,
den Wenwolf,—damit hat's ein End."

Dem Werwolf schmeichelten die Fälle,
er rollte seine Augenbälle.

---

[4] **Wolkenbruch**: starker Regen, Gewitter.
[5] **kreuz und quer**: überall.
[6] **freilich**: natürlich.
[7] **indes, die sich besaßen**: die rote und

die gelbe Hälfte der Fahne zusammen, die nun eins sind.

[1] **beuge mich**: dekliniere mich (*d.h. das Wort „Werwolf"*)
[2] **Wolf**: Werwolf (wer + Wolf).

15   „Indessen",[3] bat er, „füge doch
zur Einzahl[4] auch die Mehrzahl[5] noch!"

Der Dorfschulmeister aber mußte
gestehn, daß er von ihr[6] nichts wußte.
Zwar Wölfe gäb's in großer Schar,
20   doch „Wer" gäb's nur im Singular.

Der Wolf erhob sich tränenblind—
er hatte ja doch Weib und Kind!!
Doch da er kein Gelehrter eben,
so schied er[7] dankend und ergeben.

DIE NÄHE

CHRISTIAN MORGENSTERN

Die Nähe[1] ging verträumt umher ...
Sie kam nie zu den Dingen selber.[2]
Ihr Antlitz[3] wurde gelb und gelber,
und ihren Leib ergriff die Zehr.

5   Doch eines Nachts, derweil[4] sie schlief,
da trat wer[5] an ihr Bette hin
und sprach: „Steh auf, mein Kind, ich bin
der kategorische Komparativ!

Ich werde dich zum Näher[6] steigern,
10   ja, wenn du willst, zur Näherin!"[7]—

---

[3] **indessen:** jedoch.
[4] **Einzahl:** Singular.
[5] **Mehrzahl:** Plural.
[6] **von ihr:** von der Mehrzahl.
[7] **schied er:** ging er weg.

[1] **die Nähe:** *hier personifiziert.*
[2] **sie kam nie zu den Dingen selber:** *die Nähe kann nie an die Dinge heran-* kommen, *sondern natürlich nur „in die Nähe"!*
[3] **Antlitz:** Gesicht.
[4] **derweil:** während.
[5] **wer:** jemand.
[6] **Näher:** *Wortspiel: der Komparativ von „nah" ist „näher".*
[7] **Näherin:** *Wortspiel: „Näher" + weibliche Endung „-in". Das Wort bedeutet „Schneiderin".*

Die Nähe, ohne sich zu weigern,
sie nahm auch dies als Schicksal hin.

Als Näherin jedoch vergaß
sie leider völlig, was sie wollte,
15   und nähte Putz[8] und hieß Frau Nolte
und hielt all Obiges[9] für Spaß.

DER PURZELBAUM

Christian Morgenstern

Ein Purzelbaum trat vor mich hin
und sagte: „Du nur siehst mich
und weißt, was für ein Baum ich bin:
Ich schieße nicht, man schießt mich.[1]

5   Und trag ich Frucht? Ich glaube kaum;
auch bin ich nicht verwurzelt.[2]
Ich bin nur noch ein Purzelbaum,
sobald ich hingepurzelt."

„Je nun", so sprach ich, „bester Schatz,[3]
10   du bist doch klug und siehst uns—
nun, auch für uns besteht der Satz:[4]
Wir schießen nicht, es schießt uns.[5]

---

[8] **Putz**: schöne Kleider.
[9] **all Obiges**: den Traum.

[1] **ich schieße nicht, man schießt mich**: *Wortspiel: ein Baum „schießt in die Höhe", d.h. er wächst; daher* einen Purzelbaum schießen (machen): der Purzelbaum schießt sich nicht selbst, sondern man schießt (macht) ihn.
[2] **bin ich nicht verwurzelt**: ich habe keine Wurzeln.

[3] **bester Schatz**: liebster Freund.
[4] **für uns besteht der Satz**: für uns ist es ebenso.
[5] **wir schießen nicht, es schießt uns**: *Wortspiel: wir schießen den Purzelbaum nicht, sondern er macht uns auf den Boden hinschießen (hinfallen), d.h.* wir können nicht tun, was wir wollen, sondern müssen das tun, was andere wollen.

Auch Wurzeln treibt[6] man nicht so bald
und Früchte[7] nun erst recht nicht.
15   Geh heim in deinen Purzelwald,[8]
und lästre dein Geschlecht nicht."

DER WÜRFEL

CHRISTIAN MORGENSTERN

Ein Würfel sprach zu sich: „Ich bin
Mir selbst nicht völlig zum Gewinn:[1]

Denn meines Wesens sechste Seite,
Und sei es auch ein Auge bloß,[2]
5   Sieht immerdar,[3] statt in die Weite,
Der Erde ewig dunklen Schoß."

Als dies die Erde, drauf[4] er ruhte,
Vernommen,[5] ward ihr schlimm zumute.[6]

„Du Esel",[7] sprach sie, „ich bin dunkel,
10   Weil dein Gesäß mich just[8] bedeckt!
Ich bin so licht[9] wie ein Karfunkel,
Sobald du dich hinweggefleckt."[10]

---

[6] **Wurzeln treiben:** damit ist der Mensch gemeint, der nicht so leicht verwurzelt wird, *d.h.* wo hingehört.
[7] **Früchte (treiben):** der Mensch erwirbt sich nicht leicht einen Gewinn.
[8] **Purzelwald:** der Wald, in dem die Purzelbäume wachsen.

[1] **ich bin / Mir selbst nicht völlig zum Gewinn:** ich bin nicht vollwertig, mein Zustand hat Schattenseiten, mit mir ist nicht alles ganz in Ordnung.

[2] **bloß:** nur.
[3] **immerdar:** immer.
[4] **drauf:** darauf, worauf.
[5] **vernommen (hatte):** gehört hatte.
[6] **ward ihr schlimm zumute:** wurde sie böse.
[7] **Esel:** Dummkopf, Idiot.
[8] **just:** soeben, jetzt, gerade.
[9] **licht:** hell, leuchtend.
[10] **sobald du dich hinweggefleckt:** wenn du weg bist.

37

Der Würfel, innerlichst[11] beleidigt,
Hat sich nicht weiter drauf verteidigt.

EIN HUND HÄLT REDEN

ERICH KÄSTNER

Ich hab im Traum mit einem Hund gesprochen.
Erst[1] sprach er spanisch. Denn dort war er her.[2]
Weil ich ihn nicht verstand—das merkte er—,
sprach er dann deutsch, wenn[3] auch etwas gebrochen.

5 Er sah mich ganz entsetzt die Hände falten
und sagte freundlich: „Kästner, wissen Sie,
warum die Tiere ihre Schnauze halten?"[4]
Ich schwieg. Und war verlegen wie noch nie.

Der Hund sprach durch die Nase und fuhr fort:[5]
10 „Wir können sprechen. Doch wir tun es nicht.
Und wer,[6] außer im Traum, mit Menschen spricht,
den fressen wir nach seinem ersten Wort."

Ich fragte ihn natürlich nach dem Grund.
(Ich glaube nichts, was man mir nicht erklärt.)
15 Da sagte mir denn[7] der geträumte Hund:[8]
„Das ist doch klar![9] Der Mensch ist es nicht wert,
daß man gesellschaftlich mit ihm verkehrt."

Er hob sein Bein, sprang flink[10] durch krumme Gassen . . .
Und so etwas muß man sich sagen lassen!

---

[11] **innerlichst**: zutiefst, im innersten Herzen.

[1] **erst**: zuerst.
[2] **war er her**: er war aus Spanien.
[3] **wenn**: obwohl.
[4] **Schnauze halten**: nicht reden.
[5] **fuhr fort**: sprach weiter.

[6] **wer**: welcher Hund.
[7] **denn**: daraufhin.
[8] **geträumte Hund**: der Hund im Traum.
[9] **klar**: einfach.
[10] **flink**: schnell.

EINKEHR

Ludwig Uhland

Bei einem Wirte, wundermild,[1]
Da war ich jüngst zu Gaste;[2]
Ein goldner Apfel war sein Schild[3]
An einem langen Aste.

5 Es war der gute Apfelbaum,
Bei dem ich eingekehret,[4]
Mit süßer Kost und frischem Schaum
Hat er mich wohl genähret.

Es kamen in sein grünes Haus
10 Viel leicht beschwingte Gäste;[5]
Sie sprangen frei und hielten Schmaus[6]
Und sangen auf das beste.[7]

Ich fand ein Bett zu süßer Ruh
Auf weichen grünen Matten;[8]
15 Der Wirt, er deckte selbst mich zu
Mit seinem kühlen Schatten.

Nun fragt ich nach der Schuldigkeit,[9]
Da schüttelt er den Wipfel.
Gesegnet sei er allezeit[10]
20 Von der Wurzel bis zum Gipfel.

---

[1] **wundermild:** sehr freundlich.
[2] **jüngst zu Gaste:** vor kurzem ein Gast.
[3] *Die Gasthäuser in Deutschland haben Namen, die auf Schildern versinnbildlicht und dadurch leicht erkannt werden.*
[4] **ich eingekehret (bin):** ich eingekehrt bin, ich Gast war.
[5] **leicht beschwingte Gäste:** Vögel.
[6] **hielten Schmaus:** aßen.
[7] **auf das beste:** sehr gut.
[8] **Matten:** Wiesen.
[9] **Schuldigkeit:** Rechnung.
[10] **allezeit:** immer, ewig.

DER FEUERREITER[1]

EDUARD MÖRIKE

    Sehet ihr am Fensterlein
    Dort die rote Mütze wieder?
    Nicht geheuer muß es sein,
    Denn er[2] geht schon auf und nieder.
5   Und auf einmal, welch Gewühle
    Bei der Brücke, nach dem Feld!
    Horch! das Feuerglöcklein gellt:[3]
    Hinterm[4] Berg,
    Hinterm Berg
10   Brennt es in der Mühle!

    Schaut! da sprengt er wütend schier[5]
    Durch das Tor, der Feuerreiter,
    Auf dem rippendürren Tier,
    Als[6] auf einer Feuerleiter!
15   Querfeldein![7] Durch Qualm[8] und Schwüle
    Rennt er schon, und ist am Ort!
    Drüben schallt[9] es fort und fort:
    Hinterm Berg,
    Hinterm Berg
20   Brennt es in der Mühle!

    Der so oft den roten Hahn[10]
    Meilenweit von fern gerochen,
    Mit des heil'gen Kreuzes Span[11]
    Freventlich die Glut besprochen—

---

[1] *Im Volksglauben war der Feuerreiter ein gespenstischer Mann mit roter Mütze, der auf seinem dürren Pferd an die Stelle eines bevorstehenden Brandes reitet.*
[2] **er**: der Feuerreiter, Anzeiger des Feuers.
[3] **gellt**: läutet laut.
[4] **hinterm**: hinter dem.
[5] **wütend schier**: fast böse, wild.
[6] **als**: wie.
[7] **querfeldein**: mitten durchs Feld.
[8] **Qualm**: Rauch.
[9] **schallt**: schreit, tönt.
[10] **den roten Hahn**: das Feuer.
[11] **Span**: Holz, aus dem das Kruzifix gemacht ist (*d.h.* also mit dem Kruzifix).

25 Weh! dir grinst[12] vom Dachgestühle[13]
    Dort der Feind[14] im Höllenschein.
    Gnade Gott der Seele dein![15]
    Hinterm Berg,
    Hinterm Berg
30 Rast[16] er in der Mühle!

    Keine Stunde hielt es an,[17]
    Bis die Mühle borst in Trümmer;[18]
    Doch den kecken[19] Reitersmann
    Sah man von der Stunde nimmer.
35 Volk und Wagen im Gewühle
    Kehren heim von all dem Graus;[20]
    Auch das Glöcklein klinget aus;[21]
    Hinterm Berg,
    Hinterm Berg
40 Brennts!—

    Nach der Zeit[22] ein Müller fand
    Ein Gerippe[23] samt[24] der Mützen
    Aufrecht an der Kellerwand
    Auf der beinern Mähre[25] sitzen:
45 Feuerreiter, wie so kühle
    Reitest du in deinem Grab!
    Husch! da fällts in Asche ab.
    Ruhe wohl,
    Ruhe wohl
50 Drunten in der Mühle!

---

[12] **grinst**: lacht.
[13] **Dachgestühle**: Dachboden, Dachbalken.
[14] **der Feind**: das Feuer.
[15] **gnade Gott der Seele dein**: dein Tod ist sicher!
[16] **rast**: wütet.
[17] **hielt es an**: dauerte es.
[18] **borst in Trümmer (bersten)**: vollkommen verbrannte, explodierte.

[19] **kecken**: frechen, unverschämten.
[20] **dem Graus**: dem großen Feuer.
[21] **das Glöcklein klinget aus**: die kleine Feuerglocke läutet nicht mehr.
[22] **nach der Zeit**: später.
[23] **Gerippe**: Skelett.
[24] **samt**: zusammen mit.
[25] **Mähre**: Pferd.

NIS RANDERS[1]

OTTO ERNST

Krachen und Heulen und berstende Nacht,
Dunkel und Flammen in rasender Jagd—
Ein Schrei durch die Brandung!

Und brennt der Himmel, so sieht man's gut:
5   Ein Wrack auf der Sandbank! Noch wiegt es die Flut;
Gleich holt sich's der Abgrund.[2]

Nis Randers lugt[3]—und ohne Hast
Spricht er: „Da hängt noch ein Mann im Mast,
Wir müssen ihn holen."

10   Da faßt ihn die Mutter: „Du steigst mir nicht ein:
Dich will ich behalten, du bliebst mir allein,[4]
Ich will's, deine Mutter!

Dein Vater ging unter und Momme, mein Sohn;
Drei Jahre verschollen ist Uwe schon,
15   Mein Uwe, mein Uwe!"

Nis tritt auf die Brücke. Die Mutter ihm nach!
Er weist nach dem Wrack und spricht gemach:
„Und seine Mutter?"

Nun springt er ins Boot, und mit ihm noch sechs:
20   Hohes, hartes Friesengewächs;[5]
Schon sausen die Ruder.

Boot oben, Boot unten, ein Höllentanz!
Nun muß es zerschmettern . . .! Nein: es blieb ganz! . . .
Wie lange? Wie lange?

---

[1] **Nis Randers**: Name des Helden.
[2] **gleich holt sich's der Abgrund**: sofort wird das Wrack sinken.
[3] **lugt**: schaut.

[4] **du bliebst mir allein**: du bist mein letzter Sohn.
[5] **hohes, hartes Friesengewächs**: große, starke Friesen (*Volk in Friesland an der Nordseeküste*).

25   Mit feurigen Geißeln peitscht das Meer
    Die menschenfressenden Rosse[6] daher;
    Sie[7] schnauben und schäumen.

    Wie hechelnde Hast sie[8] zusammenzwingt!
    Eins auf den Nacken des andern springt
30   Mit stampfenden Hufen!

    Drei Wetter zusammen![9] Nun brennt die Welt!
    Was da?—Ein Boot, das landwärts hält—
    Sie sind es! Sie kommen!—

    Und Auge und Ohr ins Dunkel gespannt . . .
35   Still—ruft da nicht einer?—Er schreit's durch die Hand:

    „Sagt Mutter, 's ist Uwe!"

DIE GEISTER AM MUMMELSEE[1]

EDUARD MÖRIKE

    Vom Berge was kommt dort um Mitternacht spät
    Mit Fackeln so prächtig[2] herunter?
    Ob das wohl zum Tanze, zum Feste noch geht?

    Mir klingen[3] die Lieder so munter.[4]
5   O nein!
    So sage, was mag es wohl sein?[5]

    Das, was du da siehest, ist Totengeleit,
    Und was du da hörest, sind Klagen.

---

[6] **die menschenfressenden Rosse**: die hohen Wellen, *die hier als wilde Pferde* (**Rosse**) *dargestellt werden.*
[7] **sie**: die Wellen.
[8] **sie**: die Wellen.
[9] **drei Wetter zusammen**: es ist wie drei Stürme zur gleichen Zeit.

[1] **Mummelsee**: See im nördlichen Schwarzwald.
[2] **prächtig**: leuchtend.
[3] **klingen**: tönen.
[4] **munter**: froh.
[5] **was mag es wohl sein?**: was ist es denn?

43

Dem König, dem Zauberer, gilt es zuleid,[6]
10 Sie bringen ihn wieder getragen.
O weh!
So sind es die Geister vom See!

Sie schweben herunter ins Mummelseetal—
Sie haben den See schon betreten—
15 Sie rühren und netzen den Fuß nicht einmal[7]—
Sie schwirren in leisen Gebeten—
O schau
Am Sarge die glänzende Frau!

Jetzt öffnet der See das grünspiegelnde Tor;[8]
20 Gib acht, nun tauchen sie nieder!
Es schwankt eine lebende Treppe hervor,
Und—drunten schon summen die Lieder.
Hörst du?
Sie singen ihn unten zur Ruh.

25 Die Wasser, wie lieblich sie brennen und glühn!
Sie spielen in grünendem Feuer;
Es geistern die Nebel am Ufer dahin,
Zum Meere verzieht sich der Weiher[9]—
Nur still!
30 Ob dort sich nichts rühren will?

Es zuckt in der Mitten—o Himmel, ach hilf!
Nun kommen sie wieder, sie kommen!
Es orgelt im Rohr, und es klirret im Schilf;
Nur hurtig, die Flucht nur genommen![10]
35 Davon![11]
Sie wittern,[12] sie haschen[13] mich schon!

---

[6] **gilt es zuleid**: wegen.
[7] **sie rühren und netzen den Fuß nicht einmal**: sie gehen nicht und ihr Fuß wird nicht naß; **netzen (benetzen)**: naß machen.
[8] **das grünspiegelnde Tor**: die Oberfläche des Sees.
[9] **zum Meere verzieht sich der Weiher**: der See sieht aus wie ein Meer, da ihn der Nebel bedeckt.
[10] **hurtig, die Flucht nur genommen**: (ich) laufe schnell weg.
[11] **davon**: weg, fort von hier!
[12] **wittern**: riechen.
[13] **haschen**: fangen.

ERLKÖNIG[1]

Johann Wolfgang von Goethe

Wer reitet so spät durch Nacht und Wind?
Es ist der Vater mit seinem Kind;
Er hat den Knaben wohl[2] in dem Arm,
Er faßt ihn sicher, er hält ihn warm.—

5   Mein Sohn, was birgst du so bang dein Gesicht?[3]—
Siehst, Vater, du den Erlkönig nicht?
Den Erlenkönig mit Kron und Schweif?—
Mein Sohn, es ist ein Nebelstreif.—

„Du liebes Kind, komm, geh mit mir!
10   Gar[4] schöne Spiele spiel ich mit dir;
Manch bunte Blumen sind an dem Strand;
Meine Mutter hat manch gülden Gewand."[5]

Mein Vater, mein Vater, und hörest du nicht,
Was Erlkönig mir leise verspricht?—
15   Sei ruhig, bleibe ruhig, mein Kind!
In dürren Blättern säuselt der Wind.—

„Willst, feiner Knabe, du mit mir gehn?
Meine Töchter sollen dich warten schön;[6]
Meine Töchter führen den nächtlichen Reihn
20   Und wiegen und tanzen und singen dich ein."[7]

Mein Vater, mein Vater, und siehst du nicht dort
Erlkönigs Töchter am düstern[8] Ort?—
Mein Sohn, mein Sohn, ich seh es genau;
Es scheinen die alten Weiden so grau.—

---

[1] **Erlkönig (Erlenkönig):** Elfenkönig.
[2] **wohl:** gut, fest, sicher.
[3] **was birgst (bergen) du so bang dein Gesicht?:** warum versteckst du dein Gesicht so ängstlich?
[4] **gar:** sehr.
[5] **gülden Gewand:** goldene Kleider.

[6] **sollen dich warten schön:** werden es dir an nichts fehlen lassen, werden gut auf dich aufpassen.
[7] **und wiegen und tanzen und singen dich ein:** wiegen, tanzen und singen dich in den Schlaf hinein.
[8] **düstern:** dunklen.

25 „Ich liebe dich, mich reizt deine schöne Gestalt;[9]
Und bist du nicht willig,[10] so brauch[11] ich Gewalt."—
Mein Vater, mein Vater, jetzt faßt er mich an!
Erlkönig hat mir ein Leids getan![12]—

Dem Vater grauset's, er reitet geschwind,
30 Er hält in Armen das ächzende Kind,
Erreicht den Hof mit Mühe und Not;[13]
In seinen Armen das Kind war tot.

BELSAZAR[1]

HEINRICH HEINE

Die Mitternacht zog näher[2] schon;
In stiller Ruh lag Babylon.

Nur oben in des Königs Schloß,
Da flackert's, da lärmt des Königs Troß.

5 Dort oben in dem Königssaal
Belsazar hielt sein Königsmahl.

Die Knechte saßen in schimmernden Reihn[3]
Und leerten die Becher mit funkelndem Wein.

Es klirrten die Becher, es jauchzten die Knecht;[4]
10 So klang es dem störrigen Könige recht.

Des Königs Wangen leuchten Glut;[5]
Im Wein erwuchs ihm kecker Mut.

---

[9] **mich reizt deine schöne Gestalt**: dein schöner Körper gefällt mir.
[10] **und bist du nicht willig**: und wenn du nicht willst.
[11] **brauch**: gebrauche.
[12] **ein Leids getan**: weh getan.
[13] **mit Mühe und Not**: kaum, mit großer Anstrengung.

[1] **Belsazar**: der letzte König Babylons.
[2] **zog näher**: kam näher.
[3] **Reihn**: Reihen.
[4] **jauchzten die Knecht**: schrien die Knechte (*Plural*).
[5] **leuchten Glut**: sind feurig.

46

Und blindlings reißt der Mut ihn fort;[6]
Und er lästert die Gottheit mit sündigem Wort.

15   Und er brüstet sich frech und lästert wild;
Die Knechtenschar ihm Beifall brüllt.

Der König rief[7] mit stolzem Blick;
Der Diener eilt und kehrt zurück.

Er trug viel gülden Gerät auf dem Haupt;[8]
20   Das war aus dem Tempel Jehovahs geraubt.

Und der König ergriff mit frevler Hand
Einen heiligen Becher, gefüllt bis am Rand.

Und er leert ihn hastig bis auf den Grund,[9]
Und rufet laut mit schäumendem Mund:

25   „Jehovah! dir künd ich auf ewig Hohn[10]—
Ich bin der König von Babylon!"

Doch kaum das grause[11] Wort verklang,
Dem König ward's heimlich im Busen bang.[12]

Das gellende Lachen verstummte zumal;[13]
30   Es wurde leichenstill im Saal.

Und sieh! und sieh! an weißer Wand
Da kam's hervor,[14] wie Menschenhand;

Und schrieb, und schrieb an weißer Wand
Buchstaben von Feuer und schrieb und schwand.[15]

---

[6] **reißt der Mut ihn fort:** wird er
leichtsinnig und übermütig.
[7] **rief:** er befahl dem Diener, das
geraubte Gut zu holen.
[8] **er trug viel gülden Gerät auf dem
Haupt:** der Diener trug auf seinem
Kopf viele goldene Gegenstände.
[9] **bis auf den Grund:** bis zum letzten
Tropfen, völlig.

[10] **dir künd ich auf ewig Hohn:** ich
werde dich ewig verhöhnen.
[11] **grause:** schreckliche, fürchterliche.
[12] **ward's ... im Busen bang:** es wurde
ihm Angst.
[13] **verstummte zumal:** hörte sofort auf.
[14] **kam's hervor:** erschien es.
[15] **schwand:** verschwand.

　Der König stieren Blicks[16] da saß,
Mit schlotternden Knien und totenblaß.

Die Knechtenschar saß kalt durchgraut,[17]
Und saß gar still, gab keinen Laut.

Die Magier kamen, doch keiner verstand
40　Zu deuten[18] die Flammenschrift an der Wand.

Belsazar ward[19] aber in selbiger[20] Nacht
Von seinen Knechten umgebracht.[21]

GORM GRYMME[1]

THEODOR FONTANE

König Gorm herrscht über Dänemark,
Er herrscht' die[2] dreißig Jahr,
Sein Sinn[3] ist fest, seine Hand ist stark,
Weiß worden[4] ist nur sein Haar,
5　Weiß worden sind nur seine buschigen Brau'n,[5]
Die machten manchen stumm;[6]
In Grimme[7] liebt er dreinzuschaun,—
Gorm Grymme heißt er drum.[8]

Und die Jarls[9] kamen zum Feste des Jul,[10]
10　Gorm Grymme sitzt im Saal,

---

[16] **stieren Blicks**: mit starren Augen.
[17] **kalt durchgraut**: kalt vor Angst.
[18] **deuten**: erklären.
[19] **ward**: wurde.
[20] **selbiger**: dieser, in der gleichen.
[21] **umgebracht**: getötet.

[1] **Gorm Grymme**: dänischer König, gestorben nach 935.
[2] **die**: schon.
[3] **Sinn**: Wille.

[4] **worden**: geworden.
[5] **Brau'n**: Augenbrauen.
[6] **stumm**: still.
[7] **in Grimme**: böse, streng, ernst.
[8] **drum**: darum, deshalb, daher.
[9] **Jarls** (*altnordischer Adelstitel*): Grafen (*vgl. englisch* „earl").
[10] **Fest des Jul**: *die altgermanische Bezeichnung der Wintersonnenwende,* heute Weihnachten.

Und neben ihm sitzt, auf beinernem[11] Stuhl,
Thyra Danebod, sein Gemahl;[12]
Sie reichen einander still die Hand
Und blicken sich an zugleich,[13]
15 Ein Lächeln in beider Auge stand,—
Gorm Grymme, was macht dich so weich?

Den Saal hinunter, in offner Hall,
Da fliegt es wie Locken im Wind,
Jung-Harald spielt mit dem Federball,
20 Jung-Harald, ihr einziges Kind,
Sein Wuchs[14] ist schlank, blond ist sein Haar,
Blau-golden ist sein Kleid,
Jung-Harald ist heut fünfzehn Jahr,
Und sie lieben ihn allbeid.[15]

25 Sie lieben ihn beid; eine Ahnung bang
Kommt über die Königin,
Gorm Grymme aber, den Saal entlang
Auf Jung-Harald deutet er hin,
Und er hebt sich zum Sprechen,[16]—sein Mantel rot
30 Gleitet nieder auf den Grund:
„Wer je mir spräche[17] ‚er ist tot‘,
Der müßte sterben zur Stund."[18]

Und Monde gehn.[19] Es schmolz der Schnee,
Der Sommer kam zu Gast,
35 Dreihundert Schiffe fahren in See,[20]
Jung-Harald steht am Mast,
Er steht am Mast, er singt ein Lied,
Bis sich's im Winde brach,[21]
Das letzte Segel, es schwand,[22] es schied,—
40 Gorm Grymme schaut ihm nach.

---

[11] **beinernem**: aus Elfenbein.
[12] **Gemahl** (*poetisch für* **Gemahlin**): Frau.
[13] **zugleich**: zur gleichen Zeit.
[14] **Wuchs**: Statur, Körper.
[15] **allbeid**: alle beide, beide.
[16] **er hebt sich zum Sprechen**: er steht auf, um zu sprechen.

[17] **wer je mir spräche**: wer mir jemals sagt.
[18] **zur Stund**: sofort.
[19] **Monde gehn**: Monate vergehen.
[20] **in See**: auf das Meer hinaus.
[21] **bis sich's im Winde brach**: bis man es nicht mehr hören konnte.
[22] **schwand**: verschwand.

Und wieder Monde.[23] Grau-Herbstestag[24]
Liegt über Sund[25] und Meer,
Drei Schiffe mit mattem Ruderschlag
Rudern heimwärts[26] drüber her.
45   Schwarz hängen die Wimpel;[27] auf Brömsebro-Moor[28]
Jung-Harald liegt im Blut,[29]—
Wer bringt die Kunde vor Königs Ohr?[30]
Keiner hat den Mut.

Thyra Danebod schreitet hinab an den Sund,
50   Sie hatte die Segel gesehn;
Sie spricht: „Und bangt sich[31] euer Mund,
Ich meld[32] ihm, was geschehn."
Ab legt sie ihr rotes Korallengeschmeid
Und die Gemme von Opal,
55   Sie kleidet sich in ein schwarzes Kleid
Und tritt in Hall und Saal.

In Hall und Saal. An Pfeiler und Wand
Goldteppiche ziehen sich hin,
Schwarze Teppiche nun mit eigener Hand
60   Hängt drüber[33] die Königin,
Und sie zündet zwölf Kerzen, ihr flackernd Licht,
Es gab einen trüben Schein,
Und sie legt ein Gewebe,[34] schwarz und dicht,
Auf den Stuhl von Elfenbein.

65   Ein tritt[35] Gorm Grymme. Es zittert sein Gang,
Er schreitet wie im Traum,
Er starrt die schwarze Hall entlang,
Die Lichter, er sieht sie kaum,

---

23 **und wieder Monde:** Monate sind vergangen.
24 **Grau-Herbstestag:** ein grauer Herbsttag.
25 **Sund:** Meerenge.
26 **heimwärts:** nach Hause.
27 **Wimpel:** Fahnen, Flaggen.
28 **Brömsebro** (*sprich* -bru): Fluß an der
alten dänisch-schwedischen Grenze.

29 **liegt im Blut:** ist tot.
30 **vor Königs Ohr:** zum König.
31 **bangt sich:** fürchtet sich.
32 **meld:** sage, benachrichtige.
33 **drüber:** darüber.
34 **Gewebe:** Tuch.
35 **ein tritt:** (der König) kommt herein.

Er spricht: „Es weht wie Schwüle hier,[36]
70   Ich will an Meer und Strand,
Reich' meinen rotgoldenen Mantel mir[37]
Und reiche mir deine Hand."

Sie gab ihm um einen Mantel dicht,[38]
Der war nicht golden, nicht rot,
75   Gorm Grymme sprach: „Was niemand spricht,
Ich sprech es: Er ist tot."
Er setzte sich nieder, wo er stand,
Ein Windstoß fuhr durchs Haus,
Die Königin hielt des Königs Hand,
80   Die Lichter loschen aus.[39]

DER GLOCKENGUß ZU BRESLAU[1]

Wilhelm Müller

War einst[2] ein Glockengießer
Zu Breslau in der Stadt,[3]
Ein ehrenwerter Meister,
Gewandt in Rat und Tat.

5   Er hatte schon gegossen
Viel Glocken, gelb und weiß,
Für Kirchen und Kapellen,
Zu Gottes Lob und Preis.

Und seine Glocken klangen
10   So voll, so hell, so rein;
Er goß auch Lieb' und Glauben
Mit in die Form hinein.

---

[36] **es weht wie Schwüle hier:** ein
schwüler Wind weht hier.
[37] **reich' . . . mir:** gib mir.
[38] **sie gab ihm um einen Mantel dicht:**
die Königin legte ihm einen Mantel
um die Schultern.

[39] **loschen aus:** gingen aus.

---

[1] **Breslau:** Stadt in Polen.
[2] **war einst:** es war einmal.
[3] **zu Breslau in der Stadt:** in der Stadt
Breslau.

Doch aller Glocken Krone,[4]
Die er gegossen hat,
15 Das ist die Sünderglocke
Zu Breslau in der Stadt;

Im Magdalenenturme,[5]
Da hängt das Meisterstück,
Rief schon manch starres Herze
20 Zu seinem Gott zurück.

Wie hat der gute Meister
So treu das Werk bedacht!
Wie hat er seine Hände
Gerührt bei Tag und Nacht!

25 Und als die Stunde kommen,[6]
Daß alles fertig war,
Die Form ist eingemauert,
Die Speise[7] gut und gar,[8]

Da ruft er seinen Buben
30 Zur Feuerwacht herein:
„Ich laß auf kurze Weile[9]
Beim Kessel dich allein,

Will mich mit einem Trunke
Noch stärken zu dem Guß;[10]
35 Das[11] gibt der zähen Speise
Erst einen vollen Fluß;[12]

Doch hüte dich und rühre
Den Hahn mir nimmer an,[13]
Sonst wär' es um dein Leben,
40 Fürwitziger, getan!"[14]

---

[4] **aller Glocken Krone**: die beste Glocke.
[5] **Magdalenenturm(e)**: große Stadtkirche in Breslau.
[6] **kommen**: gekommen.
[7] **Speise (Glockenspeise)**: flüssiges Metall.
[8] **gar**: vollendet, fertig.
[9] **Weile**: Zeit.
[10] **will mich ... noch stärken zu dem** **Guß**: ich will mich für den Glockenguß stark machen.
[11] **das**: die kurze Wartezeit.
[12] **einen vollen Fluß**: die richtige Festigkeit, Konsistenz.
[13] **rühre ... mir ... an**: berühre, greife an.
[14] **sonst wär' es um dein Leben ...** **getan**: sonst wäre es dein Tod.

Der Bube steht am Kessel,
Schaut in die Glut hinein;
Das wogt und wallt und wirbelt
Und will entfesselt sein

45 Und zischt ihm in die Ohren
Und zuckt ihm durch den Sinn
Und zieht an allen Fingern
Ihn nach dem Hahne hin.

Er fühlt ihn[15] in den Händen,
50 Er hat ihn umgedreht;
Da wird ihm angst und bange,
Er weiß nicht, was er tät.[16]

Und läuft hinaus zum Meister,
Die Schuld ihm zu gestehn,
55 Will seine Knie umfassen
Und ihn um Gnade flehn.

Doch wie der nur vernommen
Des Knaben erstes Wort,
Da reißt die kluge Rechte
60 Der jähe Zorn ihm fort.[17]

Er stößt sein scharfes Messer
Dem Buben in die Brust;
Dann stürzt er nach dem Kessel,[18]
Sein selber nicht bewußt;[19]

65 Vielleicht, daß er noch retten,
Den Strom noch hemmen[20] kann—
Doch sieh, der Guß ist fertig,
Es fehlt kein Tropfen dran.[21]

---

[15] **ihn:** den Hahn.
[16] **was er tät:** was er tun soll.
[17] **da reißt die kluge Rechte / Der jähe Zorn ihm fort:** der Zorn läßt die rechte Hand zur Mörderhand werden.
[18] **nach dem Kessel:** zu dem Kessel.

[19] **sein selber nicht bewußt:** er weiß nicht, was er tut.
[20] **hemmen:** aufhalten, stoppen.
[21] **der Guß ist fertig, / Es fehlt kein Tropfen dran:** der Glockenguß ist schon vollendet bis zum letzten Tropfen.

Da eilt er, abzuräumen,[22]
70 Und sieht—und will's nicht sehn,
Ganz ohne Fleck und Makel
Die Glocke vor sich stehn.

Der Knabe liegt am Boden,
Er schaut sein Werk nicht mehr:[23]
75 Ach Meister, wilder Meister,
Du stießest gar zu sehr![24]

Er stellt sich dem Gerichte,
Er klagt sich selber an.
Es tut den Richtern wehe
80 Wohl um den wackern Mann;

Doch kann ihn keiner retten,
Und Blut will wieder Blut.
Er hört sein Todesurteil
Mit ungebeugtem Mut.

85 Und als der Tag gekommen,
Daß man ihn führt hinaus,[25]
Da wird ihm angeboten
Der letzte Gnadenschmaus.

„Ich dank' euch", spricht der Meister,
90 „Ihr Herren lieb und wert;
Doch eine andre Gabe
Mein Herz von euch begehrt:

Laßt mich nur einmal hören
Der neuen Glocke Klang!
95 Ich hab' sie ja bereitet,[26]
Möcht'[27] wissen, ob's gelang."

---

[22] **abzuräumen**: die Form wegzutun.
[23] **er schaut sein Werk nicht mehr**: der Knabe (der Bub) sieht die Glocke, die er gegossen hat, nicht mehr.
[24] **du stießest gar zu sehr**: du hast zu rasch gehandelt, ihn ja getötet, mit dem Messer erstochen!
[25] **führt hinaus**: hinausführt zu seiner Hinrichtung.
[26] **bereitet**: vorbereitet, aber nicht gegossen.
[27] **möcht'**: ich möchte.

Die Bitte ward gewähret,[28]
Sie schien den Herrn gering;[29]
Die Glocke ward[30] geläutet,
100   Als er zum Tode ging.

Der Meister hört sie klingen
So voll, so hell, so rein!
Die Augen gehn ihm über,[31]
Es muß vor Freude sein.

105   Und seine Blicke leuchten,
Als wären sie verklärt;
Er hatt' in ihrem[32] Klange
Wohl mehr als Klang gehört.

Hat auch geneigt den Nacken[33]
110   Zum Streich[34] voll Zuversicht;
Und was der Tod versprochen,
Das bricht das Leben nicht.[35]

Das ist der Glocken Krone,
Die er gegossen hat,
115   Die Magdalenenglocke
Zu Breslau in der Stadt.

Die ward zur Sünderglocke
Seit jenem Tag geweiht.
Weiß nicht, ob's anders worden
120   In dieser neuen Zeit.[36]

---

[28] **gewähret (gewährt):** erfüllt.
[29] **gering:** nicht sehr groß.
[30] **ward:** wurde.
[31] **die Augen gehn ihm über:** er hat Tränen in den Augen.
[32] **ihrem:** der Glocke.
[33] **hat auch geneigt den Nacken:** er neigte auch den Nacken zur Enthauptung.

[34] **zum Streich:** zum Todesschlag mit dem Schwert.
[35] **und was der Tod versprochen, / Das bricht das Leben nicht:** obwohl er im Leben zum Mörder wurde, wird er in den Himmel kommen.
[36] **weiß nicht, ob's anders worden / In dieser neuen Zeit:** ich weiß nicht, ob es heute anders ist.

DER HANDSCHUH

FRIEDRICH VON SCHILLER

Vor seinem Löwengarten,
Das Kampfspiel zu erwarten,
Saß König Franz,
Und um ihn die Großen der Krone,[1]
5   Und rings auf hohem Balkone
Die Damen in schönem Kranz.

Und wie er winkt mit dem Finger
Auftut sich[2] der weite Zwinger;
Und hinein mit bedächtigem[3] Schritt
10   Ein Löwe tritt
Und sieht sich stumm
Rings um,
Mit langem Gähnen,
Und schüttelt die Mähnen
15   Und streckt die Glieder,
Und legt sich nieder.

Und der König winkt wieder;
Da öffnet sich behend[4]
Ein zweites Tor,
20   Daraus rennt
Mit wildem Sprunge
Ein Tiger hervor.
Wie er den Löwen erschaut,[5]
Brüllt er laut,
25   Schlägt mit dem Schweif
Einen furchtbaren Reif,
Und recket die Zunge,

---

[1] **die Großen der Krone**: die Vornehmen des Landes, Reiches.
[2] **auftut sich**: es tut sich auf, es öffnet sich.
[3] **bedächtigem**: langsamem.
[4] **behend**: schnell, rasch.
[5] **erschaut**: sieht.

Und im Kreise scheu
Umgeht er den Leu,[6]
30   Grimmig schnurrend;
Drauf[7] streckt er sich murrend
Zur Seite nieder.

Und der König winkt wieder;
Da speit das doppelt geöffnete Haus[8]
35   Zwei Leoparden auf einmal aus,
Die stürzen mit mutiger Kampfbegier[9]
Auf das Tigertier;[10]
Das[11] packt sie[12] mit seinen grimmigen Tatzen,
Und der Leu mit Gebrüll
40   Richtet sich auf, da wird's still;
Und herum im Kreis,
Von Mordsucht[13] heiß,
Lagern sich[14] die greulichen[15] Katzen.

Da fällt von des Altans[16] Rand
45   Ein Handschuh von schöner Hand
Zwischen den Tiger und den Leun
Mitten hinein.

Und zu Ritter Delorges, spottender Weis',[17]
Wendet sich Fräulein Kunigund:
50   „Herr Ritter, ist Eure Lieb' so heiß,
Wie Ihr mir's schwört zu jeder Stund',
Ei[18] so hebt mir den Handschuh auf."

Und der Ritter in schnellem Lauf,
Steigt hinab in den furchtbaren Zwinger
55   Mit festem Schritte,
Und aus der Ungeheuer Mitte
Nimmt er den Handschuh mit keckem Finger.

---

[6] **umgeht er den Leu**: er geht um den
   Löwen herum. Leu (*poetisch*): Löwe.
[7] **drauf (darauf)**: dann.
[8] **das doppelt geöffnete Haus**: zwei
   Tore sind geöffnet.
[9] **Kampfbegier**: Lust zum Kämpfen.
[10] **auf das Tigertier**: auf den Tiger.
[11] **das**: das Tigertier.

[12] **sie**: die Leoparden.
[13] **Mordsucht**: Mordlust.
[14] **lagern sich**: legen sich hin.
[15] **greulichen**: furchtbaren.
[16] **des Altans**: des Balkons.
[17] **spottender Weis'**: den Ritter verspot-
   tend.
[18] **ei**: nun.

Und mit Erstaunen und mit Grauen
Sehen's die Ritter und Edelfrauen,
60 Und gelassen[19] bringt er den Handschuh zurück.
Da schallt ihm sein Lob aus jedem Munde;[20]
Aber mit zärtlichem Liebesblick—
Er[21] verheißt ihm sein nahes Glück—
Empfängt ihn Fräulein Kunigunde.
65 Und er wirft ihr den Handschuh ins Gesicht:
„Den Dank, Dame, begehr' ich nicht!"[22]
Und verläßt sie zur selben Stunde.[23]

DES SÄNGERS FLUCH

Ludwig Uhland

Es stand in alten Zeiten ein Schloß so hoch und hehr,
Weit glänzt' es über die Lande bis an das blaue Meer;
Und rings[1] von duft'gen[2] Gärten ein blütenreicher Kranz,
Drin[3] sprangen frische Brunnen in Regenbogenglanz.

5 Dort saß ein stolzer König, an Land und Siegen reich;
Er saß auf seinem Throne so finster und so bleich;
Denn was er sinnt, ist Schrecken, und was er blickt, ist Wut,
Und was er spricht, ist Geißel, und was er schreibt, ist Blut.

Einst zog nach diesem Schlosse ein edles Sängerpaar,
10 Der ein' in goldnen Locken,[4] der andre grau von Haar:[5]
Der Alte mit der Harfe, der saß auf schmuckem Roß;
Es schritt ihm frisch zur Seite[6] der blühende Genoß.[7]

---

[19] **gelassen**: ruhig.
[20] **da schallt ihm sein Lob aus jedem Munde**: jeder lobt den Ritter.
[21] **er**: der Liebesblick.
[22] **begehr' ich nicht**: verlange ich nicht, will ich nicht.
[23] **zur selben Stunde**: auf der Stelle, sofort.

[1] **rings**: um das Schloß herum.
[2] **duft'gen (duftigen)**: gut riechenden.
[3] **drin (darin)**: in den Gärten.
[4] **Locken**: Haar(locken).
[5] **grau von Haar**: mit grauen Haaren.
[6] **es schritt ihm frisch zur Seite**: neben ihm ging.
[7] **Genoß**: Kamerad.

Der Alte sprach zum Jungen: „Nun sei bereit, mein Sohn![8]
Denk'[9] unsrer tiefsten Lieder, stimm' an den vollsten Ton!
15 Nimm alle Kraft zusammen, die Lust[10] und auch den Schmerz!
Es gilt uns heut'[11] zu rühren des Königs steinern[12] Herz."

Schon stehn die beiden Sänger im hohen Säulensaal,
Und auf dem Throne sitzen der König und sein Gemahl:[13]
Der König furchtbar prächtig wie blut'ger Nordlichtschein,
20 Die Königin süß und milde, als blickte Vollmond drein.[14]

Da schlug der Greis die Saiten, er schlug sie wundervoll,
Daß reicher, immer reicher der Klang zum Ohre schwoll;
Dann strömte himmlisch helle des Jünglings Stimme vor,[15]
Des Alten Sang[16] dazwischen wie dumpfer Geisterchor.

25 Sie singen von Lenz[17] und Liebe, von sel'ger,[18] goldner Zeit,
Von Freiheit, Männerwürde, von Treu' und Heiligkeit:
Sie singen von allem Süßen, was Menschenbrust durchbebt,[19]
Sie singen von allem Hohen, was Menschenherz erhebt.

Die Höflingsschar im Kreise verlernet jeden Spott;
30 Des Königs trotz'ge[20] Krieger, sie beugen sich vor Gott;
Die Königin zerflossen in Wehmut und in Lust,[21]
Sie wirft den Sängern nieder[22] die Rose von ihrer Brust.

„Ihr habt mein Volk verführet; verlockt ihr nun mein Weib?"
Der König schreit es wütend,[23] er bebt am ganzen Leib.
35 Er wirft sein Schwert, das blitzend des Jünglings Brust durchdringt,
Draus[24] statt der goldnen Lieder ein Blutstrahl hoch aufspringt.

---

[8] **mein Sohn:** *hier eine Form der An-
rede; es bedeutet nicht unbedingt der
eigene Sohn.*
[9] **denk':** gedenke, erinnere dich an.
[10] **Lust:** Freude.
[11] **es gilt uns heut':** heute müssen wir.
[12] **steinern (steinernes):** hartes.
[13] **Gemahl** (*poetisch für* **Gemahlin**): Frau.
[14] **als blickte Vollmond drein:** wie wenn
der volle Mond scheint.
[15] **vor:** hervor.

[16] **Sang:** Stimme, Gesang.
[17] **Lenz:** Frühling.
[18] **sel'ger:** glücklicher.
[19] **was Menschenbrust durchbebt:** was
das Herz des Menschen bewegt.
[20] **trotz'ge:** harte.
[21] **zerflossen in Wehmut und in Lust:**
voll Traurigkeit und Freude.
[22] **nieder:** hinunter.
[23] **wütend:** böse, zornig.
[24] **draus (daraus):** woraus.

Und wie vom Sturm zerstoben ist all der Hörer Schwarm,
Der Jüngling hat verröchelt[25] in seines Meisters Arm.
Der schlägt um ihn den Mantel[26] und setzt ihn auf das Roß,
40 Er bind't ihn aufrecht feste,[27] verläßt mit ihm das Schloß.

Doch vor dem hohen Tore,[28] da hält der Sängergreis
Da faßt er seine Harfe, sie, aller Harfen Preis:[29]
An einer Marmorsäule, da hat er sie zerschellt;[30]
Dann ruft er, daß es schaurig durch Schloß und Gärten gellt:

45 „Weh' euch, ihr stolzen Hallen! Nie töne süßer Klang[31]
Durch eure Räume wieder, nie Saite noch Gesang,
Nein, Seufzer nur und Stöhnen und scheuer Sklavenschritt,
Bis euch zu Schutt und Moder der Rachegeist zertritt!

Weh' euch, ihr duft'gen Gärten im holden Maienlicht![32]
50 Euch zeig' ich dieses Toten entstelltes Angesicht,[33]
Daß ihr[34] darob[35] verdorret, daß jeder Quell versiegt,
Daß ihr in künft'gen Tagen[36] versteint,[37] verödet[38] liegt.

Weh' dir verruchter Mörder! du Fluch des Sängertums!
Umsonst sei all dein Ringen[39] nach Kränzen blut'gen Ruhms:
55 Dein Name sei vergessen, in ew'ge Nacht getaucht,
Sei wie ein letztes Röcheln in leere Luft verhaucht!"

Der Alte hat's gerufen, der Himmel hat's gehört,
Die Mauern liegen nieder, die Hallen sind zerstört;
Noch eine hohe Säule zeugt von verschwund'ner Pracht;[40]
60 Auch diese,[41] schon geborsten, kann stürzen über Nacht.

---

[25] **verröchelt**: gestorben.
[26] **der schlägt um ihn den Mantel**: der
Alte windet den Mantel um den
Jüngling.
[27] **er bind't ihn aufrecht feste**: er bindet
ihn gerade sitzend auf dem Pferd
fest.
[28] **hohen Tore**: Schloßtor, Portal.
[29] **sie, aller Harfen Preis**: die beste aller
Harfen.
[30] **zerschellt**: in Stücke zerbrochen, zer-
schlagen.
[31] **Klang**: Musik, Lieder.
[32] **im holden Maienlicht**: im angeneh-

men, schönen Licht des Monats Mai,
im Frühlingslicht.
[33] **dieses Toten entstelltes Angesicht**: das
weiße, leblose Gesicht des Jünglings.
[34] **ihr**: die Gärten.
[35] **darob**: darum, deswegen, deshalb.
[36] **in künft'gen Tagen**: in der Zukunft.
[37] **versteint**: ihr werdet zu Stein, er-
starrt.
[38] **verödet**: ohne Leben, verwüstet.
[39] **Ringen**: Verlangen, Kampf.
[40] **zeugt von verschwund'ner Pracht**:
erinnert an die große, alte Zeit.
[41] **diese**: die Säule.

Und rings statt duft'ger Gärten ein ödes Heideland,
Kein Baum verstreuet[42] Schatten, kein Quell[43] durchdringt den Sand.
Des Königs Namen meldet[44] kein Lied, kein Heldenbuch:
Versunken und vergessen. Das ist des Sängers Fluch.

DER SCHATTEN

EDUARD MÖRIKE

Von Dienern wimmelt's früh vor Tag,[1]
Von Lichtern in des Grafen Schloß.
Die Reiter warten sein[2] am Tor,
Es wiehert morgendlich[3] sein Roß.[4]

5   Doch[5] er bei seiner Frauen[6] steht
Alleine noch im hohen Saal:
Mit Augen gramvoll prüft er sie,
Er spricht sie an[7] zum letztenmal.

„Wirst du, derweil[8] ich ferne bin
10   Bei des Erlösers Grab,[9] o Weib,
In Züchten leben[10] und getreu[11]
Mir sparen deinen jungen Leib?[12]

Wirst du verschließen Tür und Tor
Dem Manne, der uns lang entzweit,[13]

---

[42] **verstreuet (verstreut):** gibt, verbreitet.
[43] **Quell:** Wasser.
[44] **meldet:** nennt.

[1] **früh vor Tag:** früh am Morgen.
[2] **warten sein:** warten auf ihn (den Grafen).
[3] **morgendlich:** zum Morgengruß.
[4] **Roß:** Pferd.
[5] **doch:** aber, jedoch.
[6] **Frauen** (*veraltet*): Frau.
[7] **sie an:** zu ihr.

[8] **derweil:** während.
[9] **bei des Erlösers Grab:** in Jerusalem, auf dem Kreuzzug.
[10] **in Züchten leben:** sittlich, keusch leben.
[11] **getreu:** treu.
[12] **mir sparen deinen jungen Leib:** nicht Ehebruch begehen.
[13] **wirst du verschließen Tür und Tor / Dem Manne, der uns lang entzweit?:** wirst du den Mann nicht einlassen, mit dem du mir untreu warst?

15   Wirst meines Hauses Ehre sein,
        Wie du nicht warest jederzeit?"[14]

        Sie nickt; da spricht er: „Schwöre denn!"
        Und zögernd hebt sie auf die Hand.
        Da sieht er bei der Lampe Schein
20   Des Weibes Schatten an der Wand.

        Ein Schauer ihn befällt—er sinnt,[15]
        Er seufzt und wendet sich[16] zumal.[17]
        Er winkt ihr einen Scheidegruß[18]
        Und lässet[19] sie allein im Saal.

25   Elf Tage war er auf der Fahrt,
        Ritt krank ins welsche[20] Land hinein:
        Frau Hilde[21] gab den Tod ihm mit
        In einem giftigen Becher Wein.[22]

        Es liegt eine Herberg'[23] an der Straß',
30   Im wilden Tal, heißt Mutintal,[24]
        Da fiel er hin in Todesnot,
        Und seine Seele Gott befahl.[25]

        Dieselbe Nacht Frau Hilde lauscht,[26]
        Frau Hilde luget vom Altan:[27]
35   Nach ihrem Buhlen[28] schaut sie aus,
        Das Pförtlein[29] war ihm aufgetan.[30]

---

[14] **wie du nicht warest jederzeit:** wie du nicht immer gewesen bist.
[15] **sinnt:** denkt nach, überlegt.
[16] **er...wendet sich:** er dreht sich um.
[17] **zumal:** auf einmal, dann.
[18] **Scheidegruß:** Gruß zum Abschied.
[19] **lässet:** läßt.
[20] **welsche:** italienische.
[21] **Frau Hilde:** seine Frau.
[22] **gab den Tod ihm mit / In einem giftigen Becher Wein:** sandte den Tod mit durch Gift in einem Glas Wein.
[23] **Herberg' (Herberge):** Gasthof, Hotel.
[24] **im wilden Tal, heißt Mutintal:** im wilden Mutintal (Italien).
[25] **und seine Seele Gott befahl:** und starb, übergab Gott seine Seele.
[26] **lauscht:** hört, horcht.
[27] **luget vom Altan:** schaut vom Balkon herunter.
[28] **Buhlen:** Freund, Liebsten.
[29] **Pförtlein:** kleines Tor.
[30] **war ihm aufgetan:** wurde für ihn geöffnet.

Es tut einen Schlag[31] am vordern Tor,[32]
Und aber[33] einen Schlag, daß es dröhnt und hallt;
Im Burghof mitten[34] steht der Graf—
40 Vom Turm der Wächter kennt ihn bald.[35]

Und Vogt und Zofen auf dem Gang
Den toten Herrn mit Grausen[36] sehn,
Sehn ihn die Stiegen stracks[37] herauf
Nach seiner Frauen Kammer gehn.[38]

45 Man hört sie schreien und stürzen hin,[39]
Und eine jähe[40] Stille war.
Das Gesinde, das[41] flieht, auf die Zinnen es flieht:
Da scheinen am Himmel die Sterne so klar.

Und als vergangen war die Nacht,
50 Und stand am Wald das Morgenrot,[42]
Sie fanden das Weib in dem Gemach[43]
Am Bettfuß unten liegen tot.

Und als sie treten in den Saal,
O Wunder! steht an weißer Wand
55 Frau Hildes Schatten, hebet steif
Drei Finger an der rechten Hand.[44]

Und da[45] man ihren Leib begrub,
Der Schatten blieb am selben Ort

---

[31] **es tut einen Schlag:** es klopft sehr laut.
[32] **am vordern Tor:** am großen Tor, Portal.
[33] **aber:** abermals, noch.
[34] **mitten:** in der Mitte des Burghofes.
[35] **kennt ihn bald:** erkennt ihn gleich, sofort.
[36] **Grausen:** Angst, Furcht.
[37] **stracks:** direkt, sofort.
[38] **nach seiner Frauen Kammer gehn:** zum Zimmer seiner Frau gehen.
[39] **stürzen hin:** zu Boden stürzen, hinfallen.
[40] **jähe:** plötzliche.
[41] **das:** es.
[42] **und als vergangen war die Nacht, / Und stand am Wald das Morgenrot:** als die Nacht vorüber war und am Wald der Morgen aufleuchtete.
[43] **Gemach:** Zimmer.
[44] **hebet steif / Drei Finger an der rechten Hand:** hebt drei Finger der rechten Hand zum Schwur. *Ein falscher Schwur, denn die Deutschen heben nur zwei Finger zum echten Schwur.*
[45] **da:** als.

Und blieb, bis daß[46] die Burg zerfiel;
60 Wohl stünd' er sonst noch heute dort.[47]

DER TOTENTANZ[1]

JOHANN WOLFGANG VON GOETHE

Der Türmer, der schaut zu Mitten der Nacht[2]
Hinab auf die Gräber in Lage;[3]
Der Mond, der hat alles ins Helle gebracht;
Der Kirchhof, er liegt wie am Tage.[4]
5   Da regt sich ein Grab und ein anderes dann:
Sie kommen hervor, ein Weib da, ein Mann,
In weißen und schleppenden Hemden.

Das[5] reckt nun, es[6] will sich ergetzen[7] sogleich,
Die Knöchel zur Runde, zum Kranze,[8]
10 So arm und so jung, und so alt und so reich;[9]
Doch hindern die Schleppen am Tanze.
Und weil hier die Scham nun nicht weiter gebeut,[10]
Sie schütteln sich alle, da liegen zerstreut
Die Hemdelein über den Hügeln.

15 Nun hebt sich der Schenkel, nun wackelt das Bein,
Gebärden[11] da gibt es vertrackte;[12]

---

[46] **bis daß**: bis.
[47] **wohl stünd' er sonst noch heute dort**: sonst würde der Schatten noch heute dort stehen.

---

[1] **Totentanz**: Tanz der Toten.
[2] **zu Mitten der Nacht**: um Mitternacht.
[3] **die Gräber in Lage**: die Reihe der Gräber.
[4] **er liegt wie am Tage**: er sieht aus wie am Tage, der Mond beleuchtet ihn hell.

[5] **das**: die Toten.
[6] **es**: die Toten.
[7] **ergetzen (ergötzen)**: erfreuen, unterhalten, amüsieren.
[8] **zur Runde, zum Kranze**: im Kreis.
[9] **so arm und so jung, und so alt und so reich**: alle tanzen mit.
[10] **gebeut** (*veraltet*): gebietet.
[11] **Gebärden**: Bewegungen.
[12] **vertrackte**: komplizierte, ungewöhnliche.

Dann klippert's und klappert's mitunter hinein,[13]
Als schlug man die Hölzlein zum Takte.[14]
Das kommt nun dem Türmer so lächerlich vor;[15]
20   Da raunt ihm der Schalk, der Versucher, ins Ohr:[16]
Geh! hole dir[17] einen der Laken.[18]

Getan wie gedacht![19] und er flüchtet sich[20] schnell
Nun hinter geheiligte Türen.[21]
Der Mond und noch immer er scheinet so hell[22]
25   Zum Tanz, den sie schauderlich[23] führen.
Doch endlich verlieret[24] sich dieser und der,
Schleicht eins nach dem andern gekleidet einher,
Und, husch,[25] ist es unter dem Rasen.[26]

Nur einer, der trippelt[27] und stolpert zuletzt
30   Und tappet[28] und grapst[29] an den Grüften;[30]
Doch hat kein Geselle so schwer ihn verletzt,[31]
Er wittert[32] das Tuch in den Lüften.[33]
Er rüttelt die Turmtür, sie schlägt[34] ihn zurück,
Geziert[35] und gesegnet, dem Türmer zum Glück,
35   Sie blinkt[36] von metallenen Kreuzen.

Das Hemd muß er haben, da rastet er nicht,
Da gilt auch kein langes Besinnen,[37]

---

[13] **dann klippert's und klappert's mitunter hinein:** die Knochen klopfen aufeinander.
[14] **als schlug man die Hölzlein zum Takte:** als würde man mit Holzstükken Takt schlagen.
[15] **das kommt nun dem Türmer so lächerlich vor:** der Türmer findet es jetzt komisch.
[16] **raunt ihm . . . ins Ohr:** (der Teufel) flüstert ihm zu.
[17] **hole dir:** nimm dir.
[18] **Laken:** (*hier*) Hemd.
[19] **getan wie gedacht:** sogleich, sofort.
[20] **er flüchtet sich:** er flieht.
[21] **hinter geheiligte Türen:** hinter die geweihte Kirchtür.
[22] **der Mond und noch immer er scheinet so hell:** der Mond scheint noch immer so hell.

[23] **schauderlich:** fürchterlich.
[24] **verlieret:** geht weg.
[25] **husch:** schnell, gleich.
[26] **Rasen:** Gras.
[27] **trippelt:** läuft.
[28] **tappet (tappt):** greift.
[29] **grapst:** greift.
[30] **Grüften:** Gräbern.
[31] **hat kein Geselle so schwer ihn verletzt:** keiner der Toten hat ihm sein Hemd gestohlen.
[32] **wittert:** riecht.
[33] **in den Lüften:** in der Luft.
[34] **schlägt:** stößt.
[35] **geziert:** ornamentiert, geschmückt.
[36] **sie blinkt:** die Tür leuchtet, ist voll mit.
[37] **da gilt auch kein langes Besinnen:** ohne lange zu überlegen.

Den gotischen Zierat[38] ergreift nun der Wicht[39]
Und klettert von Zinne zu Zinnen.
40 Nun ist's um den armen, den Türmer getan![40]
Es ruckt sich von Schnörkel zu Schnörkel hinan,
Langbeinigen Spinnen vergleichbar.

Der Türmer erbleichet, der Türmer erbebt,
Gern gäb er ihn wieder,[41] den Laken.
45 Da häkelt—jetzt hat er am längsten gelebt[42]—
Den Zipfel ein eiserner Zacken.[43]
Schon trübet der Mond sich[44] verschwindenden Scheins,[45]
Die Glocke,[46] sie donnert ein mächtiges[47] Eins,[48]
Und unten zerschellt das Gerippe.[49]

DER ZAUBERLEHRLING

JOHANN WOLFGANG VON GOETHE

Hat der alte Hexenmeister
Sich doch einmal wegbegeben![1]
Und nun sollen seine Geister
Auch nach meinem Willen leben!
5 Seine Wort und Werke
Merkt ich[2] und den Brauch,
Und mit Geistesstärke
Tu ich Wunder auch.

---

[38] **Zierat**: Ornamente.
[39] **der Wicht**: der Tote.
[40] **nun ist's um den armen, den Türmer getan**: der arme Türmer ist verloren.
[41] **gäb er ihn wieder (wiedergeben)**: würde er das Hemd zurückgeben.
[42] **jetzt hat er am längsten gelebt**: das Leben des Türmers ist verloren.
[43] **da häkelt . . . den Zipfel ein eiserner Zacken**: der Tote versucht, sein Hemd mit einem Haken aus dem Turm zu ziehen.
[44] **trübet . . . sich (trübt sich)**: wird trübe.

[45] **verschwindenden Scheins**: der Mond und sein Licht verschwinden.
[46] **die Glocke**: die Turmuhr.
[47] **mächtiges**: lautes, starkes.
[48] **Eins**: ein Uhr.
[49] **Gerippe**: Skelett.

[1] **hat der alte Hexenmeister / Sich doch einmal wegbegeben**: ist der alte Zauberer endlich einmal fortgegangen.
[2] **merkt ich (merkte ich mir)**: habe ich gelernt.

Walle! walle
10   Manche Strecke,
Daß zum Zwecke
Wasser fließe,
Und mit reichem, vollem Schwalle
Zu dem Bade sich ergieße!

15   Und nun komm, du alter Besen!
Nimm die schlechten Lumpenhüllen![3]
Bist schon lange Knecht gewesen;
Nun erfülle meinen Willen!
Auf zwei Beinen stehe,
20   Oben sei ein Kopf,
Eile nun und gehe
Mit dem Wassertopf!

Walle! walle
Manche Strecke,
25   Daß zum Zwecke
Wasser fließe,
Und mit reichem, vollem Schwalle
Zu dem Bade sich ergieße!

Seht, er läuft zum Ufer nieder;
30   Wahrlich![4] ist schon an dem Flusse,
Und mit Blitzesschnelle[5] wieder
Ist er hier mit raschem Gusse.
Schon zum zweiten Male!
Wie das Becken schwillt![6]
35   Wie sich jede Schale
Voll mit Wasser füllt!

Stehe! stehe!
Denn wir haben
Deiner Gaben

---

[3] **die schlechten Lumpenhüllen**: die alten Kleider.
[4] **wahrlich**: wirklich.

[5] **mit Blitzesschnelle**: schnell wie der
Blitz.
[6] **wie das Becken schwillt**: wie die
Badewanne voll wird.

<pre>
40   Vollgemessen!⁷—
          Ach, ich merk es! Wehe! wehe!
          Hab ich doch das Wort⁸ vergessen!

          Ach, das Wort, worauf am Ende
          Er das wird, was er gewesen.
45   Ach, er läuft und bringt behende!⁹
          Wärst du doch der alte Besen!
          Immer neue Güsse
          Bringt er schnell herein,
          Ach! und hundert Flüsse
50   Stürzen auf mich ein.

          Nein, nicht länger
          Kann ich's lassen;¹⁰
          Will ihn fassen.
          Das ist Tücke!
55   Ach! nun wird mir immer bänger!¹¹
          Welche Miene! welche Blicke!

          Oh, du Ausgeburt der Hölle!¹²
          Soll das ganze Haus ersaufen?¹³
          Seh ich über jede Schwelle
60   Doch schon Wasserströme laufen.
          Ein verruchter¹⁴ Besen,
          Der nicht hören will!
          Stock,¹⁵ der du gewesen,
          Steh doch wieder still!

65   Willst's am Ende
          Gar nicht lassen?¹⁶
          Will dich fassen,
</pre>

---

⁷ **wir haben / Deiner Gaben / Vollge-messen**: wir haben jetzt genug Wasser.
⁸ **das Wort**: das Zauberwort.
⁹ **bringt behende**: bringt schnell Wasser.
¹⁰ **nein, nicht länger / Kann ich's lassen**: ich kann nicht mehr ruhig zusehen.

¹¹ **nun wird mir immer bänger**: ich habe immer mehr Angst.
¹² **du Ausgeburt der Hölle**: du Teufel!
¹³ **ersaufen**: ertrinken.
¹⁴ **verruchter**: böser.
¹⁵ **Stock**: Besen.
¹⁶ **willst's am Ende / Gar nicht lassen?**: willst du nie mehr aufhören?

Will dich halten,
Und das alte Holz[17] behende
70 Mit dem scharfen Beile[18] spalten.

Seht, da kommt er schleppend[19] wieder!
Wie ich mich nun auf dich werfe,
Gleich, o Kobold, liegst du nieder;[20]
Krachend trifft die glatte Schärfe!
75 Wahrlich, brav getroffen!
Seht, er ist entzwei![21]
Und nun kann ich hoffen,
Und ich atme frei!

Wehe! wehe!
80 Beide Teile
Stehn in Eile
Schon als Knechte
Völlig fertig in die Höhe![22]
Helft mir, ach! ihr hohen Mächte![23]

85 Und sie laufen! Naß und nässer
Wird's im Saal und auf den Stufen.
Welch entsetzliches Gewässer![24]
Herr und Meister! hör mich rufen! —
Ach, da kommt der Meister!
90 Herr, die Not ist groß!
Die ich rief, die Geister,
Werd ich nun nicht los.[25]

„In die Ecke,
Besen! Besen!
95 Seid's gewesen![26]

---

[17] **das alte Holz:** den Besen.
[18] **Beile:** Axt.
[19] **schleppend:** (den Wassertopf) tragend.
[20] **liegst du nieder:** bist du auf dem Boden.
[21] **entzwei:** in zwei Teilen.
[22] **beide Teile / Stehn in Eile / Schon als Knechte / Völlig fertig in die Höhe:** die beiden Teile sind zwei aufrecht stehende Besen (= Diener) geworden.
[23] **ihr hohen Mächte:** ihr Götter!
[24] **entsetzliches Gewässer:** fürchterliche Flut.
[25] **werd ich nun nicht los:** kann ich nicht mehr wegschicken.
[26] **seid's gewesen:** ihr seid Besen gewesen!

Denn als Geister
Ruft euch nur zu seinem Zwecke
Erst hervor der alte Meister."

DER SCHATZGRÄBER

JOHANN WOLFGANG VON GOETHE

Arm am Beutel, krank am Herzen,
Schleppt' ich meine langen Tage.
Armut ist die größte Plage,
Reichtum ist das höchste Gut!
5 Und zu enden meine Schmerzen,
Ging ich einen Schatz zu graben.
Meine Seele sollst du[1] haben!
Schrieb ich hin mit eignem Blut.

Und so zog ich Kreis um Kreise,[2]
10 Stellte wunderbare Flammen,
Kraut und Knochenwerk[3] zusammen:
Die Beschwörung war vollbracht.[4]
Und auf die gelernte Weise
Grub ich nach dem alten Schatze
15 Auf dem angezeigten Platze;
Schwarz und stürmisch war die Nacht.

Und ich sah ein Licht von weiten,
Und es kam gleich einem Sterne
Hinten aus der fernsten Ferne,
20 Eben als es zwölfe[5] schlug.
Und da galt kein Vorbereiten:[6]
Heller ward's mit einem Male[7]

---

[1] **du**: der Teufel.
[2] **Kreis um Kreise**: viele konzentrische Kreise.
[3] **Knochenwerk**: viele Knochen.
[4] **war vollbracht**: war getan, erreicht.

[5] **zwölfe**: zwölf Uhr Mitternacht.
[6] **da galt kein Vorbereiten**: da war keine Zeit mehr.
[7] **heller ward's mit einem Male**: plötzlich wurde es heller.

Von dem Glanz der vollen Schale,
Die ein schöner Knabe trug.

25 Holde Augen sah ich blinken[8]
Unter dichtem Blumenkranze;
In des Trankes[9] Himmelsglanze
Trat er in den Kreis herein.
Und er hieß mich freundlich trinken:
30 Und ich dacht': es kann der Knabe
Mit der schönen, lichten Gabe
Wahrlich nicht der Böse[10] sein.

„Trinke Mut des reinen Lebens!
Dann verstehst du die Belehrung,
35 Kommst mit ängstlicher Beschwörung
Nicht zurück an diesen Ort.
Grabe hier nicht mehr vergebens!
Tages Arbeit! Abends Gäste![11]
Saure Wochen! Frohe Feste![12]
40 Sei dein künftig Zauberwort."[13]

DIE HEINZELMÄNNCHEN[1]

AUGUST KOPISCH

Wie war zu Köln[2] es doch vordem[3]
Mit Heinzelmännchen so bequem![4]
Denn war man faul ... man legte sich
Hin auf die Bank und pflegte sich:

---

[8] **blinken**: glänzen, leuchten.
[9] **des Trankes**: des Trunks, Getränkes.
[10] **der Böse**: der Teufel.
[11] **Tages Arbeit! Abends Gäste!**: arbeite am Tage und verbringe den Abend mit Freunden.
[12] **saure Wochen! Frohe Feste!**: es wird viele schwere Arbeitstage, aber auch schöne Feiertage geben.

[13] **sei dein künftig Zauberwort**: das soll von jetzt an dein Motto sein.

---

[1] **Heinzelmännchen**: gute Geister, die den Menschen bei der Arbeit helfen.
[2] **Köln**: Stadt am Rhein.
[3] **vordem**: früher.
[4] **bequem**: angenehm.

Da kamen bei Nacht,
Ehe man's gedacht,
Die Männlein und schwärmten
Und klappten und lärmten
Und rupften
10 Und zupften
Und hüpften und trabten
Und putzten und schabten . . .
Und eh' ein Faulpelz noch erwacht' . . .
War all sein Tagewerk bereits⁵ gemacht!

15 Die Zimmerleute streckten sich
Hin auf die Spän' und reckten sich;
Indessen kam die Geisterschar⁶
Und sah,⁷ was da zu zimmern war:
Nahm Meißel und Beil
20 Und die Säg' in Eil';⁸
Sie sägten und stachen
Und hieben und brachen,
Berappten
Und kappten,
25 Visierten wie Falken
Und setzten die Balken . . .
Eh' sich's der Zimmermann versah⁹ . . .
Klapp, stand das ganze Haus schon fertig da!

Beim Bäckermeister war nicht Not,¹⁰
30 Die Heinzelmännchen backten Brot.
Die faulen Burschen legten sich,¹¹
Die Heinzelmännchen regten¹² sich—
Und ächzten daher
Mit den Säcken schwer!¹³
35 Und kneteten tüchtig
Und wogen es richtig

---

⁵ **bereits:** schon.
⁶ **die Geisterschar:** die Heinzelmännchen.
⁷ **sah:** sah sich um.
⁸ **in Eil':** in Eile, schnell.
⁹ **eh' sich's der Zimmermann versah:**
ehe der Zimmermann es bemerkte.

¹⁰ **war nicht Not:** gab es keine Schwie-
rigkeiten, Probleme.
¹¹ **legten sich (hin):** schliefen.
¹² **regten sich:** arbeiteten.
¹³ **mit den Säcken schwer:** mit den
schweren Säcken.

Und hoben
Und schoben
Und fegten und backten
40 Und klopften und hackten.
Die Burschen schnarchten noch im Chor:[14]
Da rückte schon das Brot, das neue, vor![15]

Beim Fleischer ging es just so zu:
Gesell und Bursche lag in Ruh'.[16]
45 Indessen kamen die Männlein her
Und hackten die Schwein' die Kreuz und Quer'.[17]
Das ging so geschwind[18]
Wie die Mühl' im Wind![19]
Die klappten mit Beilen,
50 Die schnitzten an Speilen,
Die spülten,
Die wühlten
Und mengten und mischten
Und stopften und wischten.
55 Tat der Gesell die Augen auf:[20]
Wapp,[21] hing die Wurst da schon im Ausverkauf![22]

Beim Schenken war es so: es trank
Der Küfer, bis er niedersank;
Am hohlen[23] Fasse schlief er ein,
60 Die Männlein sorgten um den Wein
Und schwefelten fein
Alle Fässer ein.
Und rollten und hoben
Mit Winden und Kloben
65 Und schwenkten
Und senkten
Und gossen und panschten
Und mengten und manschten.

---

[14] **im Chor**: alle zusammen.
[15] **da rückte schon das Brot, das neue, vor**: da kam das frische Brot schon aus dem Backofen.
[16] **lag in Ruh'**: schliefen.
[17] **die Kreuz und Quer'**: kreuz und quer.
[18] **geschwind**: schnell.
[19] **Mühl' im Wind**: Windmühle.
[20] **tat ... die Augen auf**: erwachte.
[21] **wapp**: sofort, sogleich.
[22] **Ausverkauf**: Geschäft.
[23] **hohlen**: leeren.

Und eh' der Küfer noch erwacht:
70 War schon der Wein geschönt und fein gemacht!

Einst hatt' ein Schneider große Pein:[24]
Der Staatsrock sollte fertig sein;
Warf hin das Zeug[25] und legte sich
Hin auf das Ohr und pflegte sich.[26]
75   Da schlüpften sie[27] frisch
            In den Schneidertisch;
        Und schnitten und rückten
        Und nähten und stickten
            Und faßten
80   Und paßten
        Und strichen und guckten
        Und zupften und ruckten,
Und eh' mein Schneiderlein[28] erwacht:
War Bürgermeisters Rock . . . bereits gemacht!

85 Neugierig war des Schneiders Weib
Und macht sich diesen Zeitvertreib:
Streut[29] Erbsen hin die andre[30] Nacht,
Die Heinzelmännchen kommen sacht;[31]
            Eins fähret nun aus,
90   Schlägt hin im Haus,
        Die gleiten von Stufen
        Und plumpen in Kufen,
            Die fallen
            Mit Schallen,[32]
95   Die lärmen und schreien
        Und vermaledeien!
Sie[33] springt hinunter auf den Schall
Mit Licht:[34] husch, husch, husch, husch![35]—verschwinden all'!

---

[24] **Pein**: Not.
[25] **das (Näh)zeug**: Nadel, Faden, Stoff, etc.
[26] **pflegte sich**: ließ es sich gut gehen.
[27] **sie**: die Heinzelmännchen.
[28] **mein Schneiderlein**: wird hier spielerisch für den Schneider gebraucht.

[29] **streut**: sie streut.
[30] **andre**: nächste.
[31] **sacht**: leise, still.
[32] **Schallen**: Lärm.
[33] **sie**: die Frau des Schneiders.
[34] **mit Licht**: mit einem Licht.
[35] **husch**: still und schnell.

O weh! nun sind sie alle fort,
100 Und keines ist mehr hier am Ort!
Man kann nicht mehr wie sonsten[36] ruhn,
Man muß nun alles selber tun!
Ein jeder muß fein
Selbst fleißig sein
105 Und kratzen und schaben
Und rennen und traben
Und schniegeln
Und biegeln[37]
Und klopfen und hacken
110 Und kochen und backen.
Ach, daß es noch wie damals wär'!
Doch kommt die schöne Zeit nicht wieder her!

---

[36] **sonsten:** sonst, früher.   [37] **biegeln:** bügeln.

LIEDER

HIMMEL UND ERDE

(*Kanon*)

3 Stimmen   **Volkstümlich**

Him - mel und Er - de müs - sen ver - gehn,

a - ber die Mu - si - ci,[1] a - ber die Mu - si - ci,

a - ber die Mu - si - ci blei - ben be - stehn.

FROH ZU SEIN[1]

(*Kanon*)

4 Stimmen   **Mündlich überliefert**

Froh zu sein, be - darf es[2] we - nig, und wer froh ist, ist ein Kö - nig.

---

[1] **Musici:** Musiker, Musikanten.

[1] **froh zu sein:** um froh zu sein.
[2] **bedarf es:** braucht man.

ES TÖNEN[1] DIE LIEDER

(*Kanon*)

3 Stimmen   Volkstümlich

Es tö-nen die Lie-der, der Früh-ling kehrt wie-der;[2] es

flö-tet[3] der Hir-te auf sei-ner Schal-mei:[4] La

la la la la la la la la la la la la la la la!

LACHEND KOMMT DER SOMMER

(*Kanon*)

3 Stimmen   Cesar Bresgen (1913 —)

La-chend, la-chend, la-chend, la-chend kommt der Som-mer

ü-ber das Feld, ü-ber das Feld kommt er

la-chend, ha ha ha! la-chend ü-ber das Feld.

---

[1] **tönen**: klingen.
[2] **kehrt wieder**: kommt wieder.
[3] **flötet**: spielt.
[4] **Schalmei**: Flöte, Hirtenpfeife.

C–A–F–F–E–E[1]

(Kanon)

3 Stimmen

K. G. Hering

C - a - f - f - e - e, trink nicht so viel — Caf - fee,

nicht für Kin - der ist der Tür - ken - trank,[2]

schwächt die Ner - ven, macht dich blaß — und — krank,

sei doch kein Mu - sel - mann,[3] der ihn nicht las - sen kann.[4]

TRARA,
DAS TÖNT[1] WIE JAGDGESANG[2]

(Kanon)

4 Stimmen

Volkstümlich

Tra - ra, das tönt wie Jagd - ge - sang, wie wil - der und

---

[1] **Caffee:** Kaffee.
[2] **Türkentrank:** das Getränk der Türken. (*Der Kaffee wurde von den
Türken nach Europa gebracht.*)
[3] **Muselmann:** Türke.

[4] **der ihn nicht lassen kann:** der nicht
aufhören kann, Kaffee zu trinken.

---

[1] **tönt:** klingt.
[2] **Jagdgesang:** Jagdlieder.

fröh - li - cher Hör - ner-klang, wie Jagd - ge - sang, wie

Hör - ner-klang, tra - ra, tra - ra, tra - ra.

NACHTIGALLENKANON

3 Stimmen

W. A. Mozart (1756-1791)

Al - les schwei - get.[1] Nach - ti - gal - len

lock-en[2] mit sü - ßen Me - lo - di - en Trä - nen ins Au - ge,

Schwer - mut[3] ins Herz; lock- en mit sü - ßen Me - lo- di - en

Trä - nen ins Au - ge, Schwer - mut ins Herz.

---

[1] **schweiget:** schweigt, ist still.
[2] **locken:** rufen.
[3] **Schwermut:** Melancholie, Traurigkeit.

O, WIE WOHL
IST MIR¹ AM ABEND

(*Kanon*)

3 Stimmen — Volkslied

O wie wohl ist mir am A - bend,
mir am A - bend, wenn zur Ruh'² die
Glok - ke läu - tet, Glok - ke läu - tet,
bum, bum, bum, bum, bum, bum.

ABENDSTILLE ÜBERALL

(*Kanon*)

Text: Fritz Jöde
Melodie: Thomas Laub
Aus: Fritz Jöde:"Die Singstunde",
Wolfenbüttel und Zürich. Möseler
Verlag.

3 Stimmen

A - bend - stil - le ü - ber - all,

---

¹ **wie wohl ist mir:** wie wohl fühle ich   ² **Ruh':** Rast, Schlaf.
mich.

nur   am   Bach___   die   Nach - ti - gall

singt   ih - re Wei-se[1] kla - gend und lei - se   durch   das   Tal.

ALLE VÖGEL SIND SCHON DA[1]

August Heinrich Hoffmann von
Fallersleben (1798 - 1874)

1. Al - le Vö - gel   sind schon___ da,   al - le Vö - gel,

al - le.   Welch ein Sing - en,   Mu - si - zie - ren,[2]

Pfei - fen, Zwit-schern, Tri - ri - lie - ren,   Früh - ling will   nun

ein - mar-schie-ren,   kommt   mit Sang[3] und   Schal - le.

> 2. *Wie sie alle lustig sind,*
> *Flink[4] und froh sich regen![5]*
> *Amsel, Drossel, Fink und Star,*
> *Und die ganze Vogelschar*
> *Wünschen dir ein frohes Jahr,*
> *Lauter[6] Heil und Segen.*

---

[1] **Weise:** Melodie.

[1] **sind schon da:** sind schon aus dem Süden zurückgekommen.

[2] **Musizieren:** Musik machen.

[3] **Sang:** Singen, Lieder.

[4] **flink:** schnell.

[5] **sich regen:** fliegen, sich bewegen.

[6] **lauter:** viel.

3. *Was sie uns verkünden[7] nun,*
   Nehmen wir zu Herzen:
   Wir auch wollen lustig sein,
   Lustig wie die Vögelein,
   Hier und dort, feldaus, feldein,[8]
   Singen, Springen, Scherzen.[9]

IM FRÜHTAU ZU BERGE
WIR GEH'N

Schwedische Volksweise

1. Im Früh - tau zu Ber - ge wir geh'n, fal - le - ra, es grü - nen die Wäl - der, die Höh'n,[1] fal - le - ra. Wir wan - dern oh - ne Sor - gen sin-gend in den Mor - gen noch eh'[2] im Ta - le die Häh - ne krähn. (Wir)

2. *Ihr alten und hochweisen[3] Leut', fallera,*
   Ihr denkt wohl, wir sind nicht gescheit,[4] fallera?
   /: Wer sollte aber[5] singen,
   Wenn wir schon Grillen fingen,[6]
   In dieser herrlichen Frühlingszeit? :/

3. *Werft ab all die Sorgen und Qual, fallera,*
   Und wandert mit uns aus dem Tal, fallera!

---

[7] **verkünden**: erzählen.

[8] **feldaus, feldein**: in der ganzen Natur,
auf allen Wiesen und Feldern.

[9] **Scherzen**: lustig sein.

---

[1] **Höh'n**: Höhen, Berge.

[2] **eh'**: ehe, bevor.

[3] **hochweisen**: sehr weisen, gescheiten.

[4] **nicht gescheit**: verrückt.

[5] **aber**: sonst.

[6] **wenn wir schon Grillen fingen**: wenn
wir mißmutig, launisch wären.

/: Wir sind hinausgegangen,
Den Sonnenschein zu fangen,
Kommt mit, versucht es auch selbst einmal! :/

DER MAI IST GEKOMMEN

Justus Wilhelm Lyra (1822 - 1882),
Bonner Burschenschaft 1843

1. { Der— Mai ist ge-kom-men, die Bäu-me schla-gen
da— blei-be, wer Lust hat,[2] mit Sor - gen zu

aus,[1] }
Haus! } Wie die Wol - ken___ wan-dern am

himm - li - schen— Zelt,[3] so— steht auch mir der

Sinn[4] in die wei-te, wei - te Welt.

2. *Herr Vater, Frau Mutter, daß Gott euch behüt![5]*
Wer weiß, wo in der Ferne mein Glück mir noch blüht;[6]
Es gibt so manche Straße, da nimmer[7] ich marschiert,
Es gibt so manchen Wein, den ich nimmer noch probiert.[8]

3. *Frisch auf drum, frisch auf im hellen Sonnenstrahl!*
Wohl über die Berge, wohl durch das tiefe Tal!

---

[1] **die Bäume schlagen aus:** die Bäume
blühen und wachsen.
[2] **wer Lust hat:** wer will.
[3] **am himmlischen Zelt:** am Himmel,
Firmament.
[4] **steht auch mir der Sinn:** möchte ich
auch gerne.

[5] **daß Gott euch behüt! :** auf Wieder-
sehen! Gott behüte euch!
[6] **wo mein Glück mir noch blüht:** wo
ich mein Glück finden werde.
[7] **nimmer:** noch nie.
[8] **probiert:** versucht (habe).

Die Quellen erklingen, die Bäume rauschen all;[9]
Mein Herz ist wie 'ne[10] Lerche und stimmet ein mit Schall.[11]

4. O Wandern, o Wandern, du freie Burschenlust!
Da wehet Gottes Odem[12] so frisch in die Brust;
Da singet und jauchzet das Herz zum Himmelszelt:
Wie bist du doch so schön, o du weite, weite Welt!

FREUT EUCH DES LEBENS

Volkslied
Text: Johann Martin Usteri (1763 - 1796)

1. Freut euch_des Le - bens, weil noch_das Lämp - chen glüht,

pflük - ket[1]_die Ro - se, eh[2] sie_ ver - blüht!_ *Schluß*

So man - cher schafft_ sich Sorg und Müh, sucht Dor - nen

auf_ und fin - det sie und läßt das Veil - chen

un - be - merkt, das ihm_ am We - ge blüht._
von vorn bis Schluß

---

[9] die Bäume rauschen all: alle Bäume
rauschen.
[10] 'ne: eine.
[11] stimmet ein mit Schall: singt laut
mit.

[12] Odem (*dichterisch*): Atem, *d.h.* die
frische Luft.

---

[1] pflük-ket: pflücket.
[2] eh: bevor.

2. Wenn scheu die Schöpfung sich verhüllt
   Und laut der Donner ob uns[3] brüllt,
   So blinkt[4] am Abend nach dem Sturm
   Die Sonne noch so schön.
   Freut euch des Lebens,
   Weil noch das Lämpchen glüht,
   Pflücket die Rose, eh sie verblüht!

WEM GOTT WILL
RECHTE GUNST ERWEISEN[1]

Friedrich Theodor Fröhlich 1833 (1803 - 1836),
stud. theol. Basel und Berlin 1820/23

1. Wem Gott will rech-te Gunst er-wei-sen, den schickt er in die wei-te Welt, dem will er sei-ne Wun-der wei-sen[2] in Berg und Tal und Strom und Feld.

2. Die Trägen,[3] die zu Hause liegen,
   Erquicket[4] nicht das Morgenrot;[5]
   Sie wissen nur von Kinderwiegen,
   Von Sorgen, Last und Not ums Brot.

3. Die Bächlein von den Bergen springen,
   Die Lerchen schwirren[6] hoch vor Lust.[7]
   Was sollt[8] ich nicht mit ihnen singen
   Aus voller Kehl und frischer Brust?

---

[3] **ob uns**: ober uns, über uns.
[4] **blinkt**: scheint.

---

[1] **rechte Gunst erweisen**: eine gute Tat
tun.
[2] **weisen**: zeigen.

[3] **die Trägen**: die Faulen.
[4] **erquicket**: stärkt.
[5] **das Morgenrot**: der Morgen.
[6] **schwirren**: flattern, fliegen.
[7] **Lust**: Freude.
[8] **was sollt**: warum sollte.

4. *Den lieben Gott laß ich nur walten;*[9]
   Der Bächlein, Lerchen, Wald und Feld
   Und Erd und Himmel will erhalten,[10]
   Hat auch mein Sach aufs best bestellt![11]

DIE GEDANKEN SIND FREI

Aus Hessen

1. Die Ge - dan - ken sind frei, wer kann sie er -
   flie - hen vor - bei wie nächt - li - che

ra - ten, sie Schat - ten. Kein Mensch kann sie

wis - sen, kein Jä - ger sie schie - ßen, es

blei - bet da - bei:[1] die Ge - dan - ken sind frei!

2. *Und sperrt man mich ein im finsteren*[2] *Kerker,*[3]
   Das alles sind rein[4] *vergebliche Werke;*
   Denn meine Gedanken zerreißen die Schranken
   Und Mauern entzwei:[5] *Die Gedanken sind frei!*

---

[9] **walten:** regieren, führen.
[10] **der Bächlein, Lerchen, Wald und Feld / Und Erd und Himmel will erhalten:** Gott, der Bächlein, Lerchen, Wald, Feld, Erde und Himmel erhalten will.
[11] **hat auch mein Sach aufs best bestellt:** hat auch gut für mich gesorgt.

[1] **es bleibet dabei:** es ist so.
[2] **finsteren:** dunklen.
[3] **Kerker:** Gefängnis.
[4] **rein:** nur.
[5] **zerreißen ... entzwei:** brechen auseinander.

3. Drum will ich auf immer den Sorgen entsagen,[6]
   Und will mich auch nimmer mit Grillen[7] mehr plagen.
   Man kann ja im Herzen stets[8] lachen und scherzen[9]
   Und denken dabei: Die Gedanken sind frei!

4. Ich liebe den Wein, mein Mädchen vor allen,[10]
   Sie tut mir allein am besten gefallen.[11]
   Ich bin nicht alleine bei meinem Glas Weine:
   Mein Mädchen dabei,[12] die Gedanken sind frei!

ALS WIR JÜNGST[1] IN REGENSBURG[2] WAREN

Volksweise

1. Als wir jüngst in Regensburg waren,
sind wir über den Strudel[3] gefahren.
Da warn[4] viele Holden,[5]
die mitfahren wollten.

---

[6] **drum will ich auf immer den Sorgen entsagen:** daher will ich mir nie mehr Sorgen machen.
[7] **Grillen:** Launen.
[8] **stets:** immer.
[9] **scherzen:** lustig sein.
[10] **vor allen:** vor allen anderen Mädchen.
[11] **sie tut mir allein am besten gefallen:** sie gefällt mir am besten.

[12] **mein Mädchen dabei:** mein Mädchen ist dabei

---

[1] **jüngst:** kürzlich, neulich.
[2] **Regensburg:** Stadt an dem Flusse Donau.
[3] **Strudel:** wildes Wasser, gefährliche Stelle im Fluß.
[4] **warn:** waren.
[5] **Holden:** Mädchen.

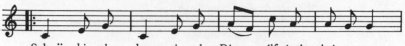

Schwä - bi - sche, bay - ri - sche Dirn - dl[6] juch - hei - ras - sa,

muß der Schiffs - mann____[7] fah - - ren.

2. *Und ein Mädel von zwölf Jahren*
   Ist mit über den Strudel gefahren;
   Weil sie noch nicht lieben kunnt,[8]
   Kam sie sicher übers Strudels Grund.[9]
   |: Schwäbische, bayrische Dirndl, juchheirassa,
   Muß der Schiffsmann fahren! :|

3. *Und vom hohen Bergesschlosse*
   Kam auf stolzem, schwarzem Rosse
   Adlig Fräulein[10] *Kunigund,*
   Wollt' mitfahrn übers Strudels Grund.
   |: Schwäbische, bayrische Dirndl, juchheirassa,
   Muß der Schiffsmann fahren! :|

4. *Schiffsmann, lieber Schiffsmann mein,*
   Sollt's denn so gefährlich sein?
   Schiffsmann, sag's mir ehrlich,
   Ist's denn so gefährlich?
   |: Schwäbische, bayrische Dirndl, juchheirassa,
   Muß der Schiffsmann fahren! :|

5. *Wem der Myrtenkranz geblieben,*
   Landet froh und sicher drüben;
   Doch wer ihn hat verloren,
   Ist dem Tod erkoren.[11]
   |: Schwäbische, bayrische Dirndl, juchheirassa,
   Muß der Schiffsmann fahren! :|

6. *Als sie auf die Mitt*[12] *gekommen,*
   Kam ein großer Nix[13] *geschwommen,*

---

[6] **Dirndl**: Mädchen.
[7] **Schiffsmann**: Schiffer.
[8] **kunnt**: konnte.
[9] **übers Strudels Grund**: über den Fluß.
[10] **adlig Fräulein**: das adelige Fräulein.

[11] **ist dem Tod erkoren (erküren** *oder* /
und **erkiesen)**: muß sterben.
[12] **Mitt**: Mitte des Flusses.
[13] **Nix**: Wassermann.

Riß das Fräulein Kunigund
Mit sich in des Strudels Grund.[14]
/: Schwäbische, bayrische Dirndl, juchheirassa,
Muß der Schiffsmann fahren! :/

TREUE LIEBE

Volksweise
Text: Wilhelm Hauff (1802 - 1827)

1. Steh ich in finst - rer[1] Mit - ter - nacht so ein - sam auf der stil - len Wacht,[2] so denk ich an mein fer - nes Lieb,———[3] ob mir's[4] auch treu und hold[5] ver - blieb?[6]

2. *Als ich zur Fahne[7] fort gemüßt,[8]*
Hat sie so herzlich mich geküßt,
/: Mit Bändern meinen Hut geschmückt,
Und weinend mich ans Herz[9] gedrückt! :/

3. *Sie liebt mich noch, sie ist mir gut,[10]*
Drum bin ich froh und wohlgemut:[11]
/: Mein Herz schläft warm in kalter Nacht,
Wenn es ans treue Lieb gedacht.[12] :/

---

[14] **in des Strudels Grund:** unter das Wasser auf den Grund des Flusses.

[1] **finstrer:** dunkler.
[2] **Wacht:** Nachtwache im Krieg.
[3] **mein fernes Lieb:** mein Liebchen zu Hause.
[4] **ob mir's:** ob es mir.
[5] **hold:** gutgesinnt.
[6] **verblieb:** blieb.

[7] **zur Fahne:** in die Armee.
[8] **gemüßt (habe):** mußte.
[9] **ans Herz:** an das (ihr) Herz.
[10] **sie ist mir gut:** sie hat mich lieb.
[11] **wohlgemut:** guten Mutes, in guter Stimmung, fröhlich.
[12] **wenn es ans treue Lieb gedacht:** nachdem das Herz an das treue Liebchen gedacht hat.

4. *Die Glocke*[13] *schlägt, bald naht die Rund*[14]
Und löst mich ab zu dieser Stund;
|: Schlaf wohl im stillen Kämmerlein,[15]
Und denk in deinen Träumen mein![16]   *:|*

DAS ZERBROCHENE RINGLEIN

Text: Joseph von Eichendorff (1788-1857)
Melodie: Friedrich Glück (1814)

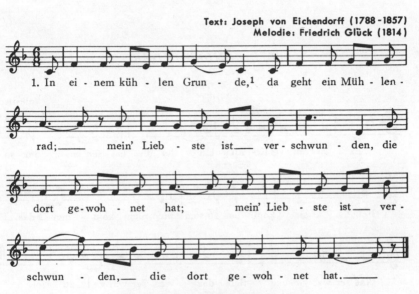

1. In ei - nem küh - len Grun - de,[1] da geht ein Müh - len -

rad;___ mein' Lieb - ste ist___ ver - schwun - den, die

dort ge - woh - net hat; mein' Lieb - ste ist___ ver -

schwun - den,___ die dort ge - woh - net hat.___

2. *Sie hat mir Treu versprochen,*[2]
Gab mir ein'n Ring dabei;[3]
|: Sie hat die Treu gebrochen,
Mein Ringlein sprang entzwei![4]   *:|*

3. *Ich möcht als Spielmann*[5] *reisen*
Weit in die Welt hinaus;
|: Und singen meine Weisen,[6]
Und gehn von Haus zu Haus!   *:|*

---

[13] **Glocke:** Uhr.
[14] **Rund:** Ablösung der Wache.
[15] **Kämmerlein:** kleines Zimmer.
[16] **mein:** an mich.

---

[1] **Grunde:** Tal.

[2] **Treu versprochen:** versprochen treu zu sein.
[3] **dabei:** zur gleichen Zeit.
[4] **sprang entzwei:** brach in zwei Teile.
[5] **Spielmann:** Troubadour, Sänger.
[6] **Weisen:** Lieder.

4. Ich möcht als Reiter fliegen
Wohl in die blut'ge Schlacht,
|: Um stille Feuer liegen[7]
Im Feld bei[8] dunkler Nacht! :|

5. Hör ich das Mühlrad gehen:
Ich weiß nicht, was ich will—
|: Ich möcht am liebsten sterben,
Da wär's auf einmal still![9] :|

DIE KÖNIGSKINDER

1. Es wa - ren zwei Kö - nigs - kin - der, die hat - ten ein - an - der so lieb;[1] sie konn - ten zu-sam - men nicht kom - men,— das— Was-ser war viel zu tief, das Was- ser war viel— zu tief.

2. Ach Liebster, kannst du nicht schwimmen,
So schwimme doch her zu mir,
Drei Kerzen will ich dir anzünden
|: Und die sollen leuchten dir.[2] :|

3. Das hört eine falsche Nonne,
Die tat, als wenn sie schlief,

---

[7] **um stille Feuer liegen**: bei stillen Feuern liegen.

[8] **bei**: in.

[9] **da wär's auf einmal still**: da würde das Mühlrad endlich still sein.

[1] **die hatten einander so lieb**: die liebten sich so.

[2] **sollen leuchten dir**: sollen dir Licht geben und den Weg zeigen.

Die tät die Kerzen ausblasen,[3]
/: Der Jüngling ertrank so tief.[4] *:/*

DIE LORELEI[1]

Text: Heinrich Heine (1797 - 1856)
Melodie: Friedrich Silcher (1837)

1. Ich weiß nicht, was soll es be - deu - ten, daß

ich so trau — rig bin, ————— ein

Mär - chen aus al - ten Zei - ten, das kommt mir nicht aus dem

Sinn. ——[2] Die Luft — ist kühl und es dun - kelt,[3] und

ru - hig fließt — der Rhein;[4] — der Gip - fel des Ber - ges

fun - kelt[5] im A - bend - son - nen - schein. ——

---

[3] **die tät . . . ausblasen:** die Nonne hat
die Kerzen ausgeblasen, ausgelöscht.
[4] **so tief:** im tiefen Wasser.

[1] **Lorelei:** Wassernixe am Fluß Rhein.

[2] **das kommt mir nicht aus dem Sinn:**
das kann ich nicht vergessen.
[3] **es dunkelt:** es wird Abend.
[4] **Rhein:** deutscher Fluß.
[5] **funkelt:** leuchtet, scheint, glänzt.

2. Die schönste Jungfrau sitzet,
   Dort oben[6] wunderbar,
   Ihr goldnes Geschmeide[7] blitzet,[8]
   Sie kämmt ihr goldenes Haar.
   Sie kämmt es mit goldenem Kamme,
   Und singt ein Lied dabei;
   Das hat eine wundersame,[9]
   Gewaltige Melodei.[10]

3. Den Schiffer im kleinen Schiffe
   Ergreift es[11] mit wildem Weh,
   Er schaut[12] nicht die Felsenriffe,
   Er schaut nur hinauf in die Höh!
   Ich glaube, die Wellen verschlingen
   Am Ende Schiffer und Kahn;[13]
   Und das hat mit ihrem Singen
   Die Lorelei getan.

DER KÖNIG IN THULE[1]

Text: J. W. von Goethe (1749 - 1832)
Melodie: Karl F. Zelter (1812)

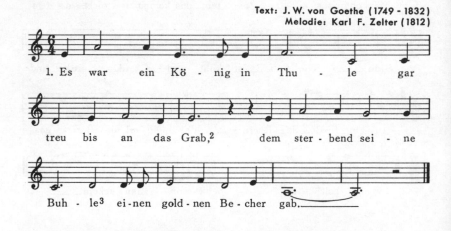

1. Es war ein Kö - nig in Thu - le gar treu bis an das Grab,[2] dem ster - bend sei - ne Buh - le[3] ei - nen gold - nen Be - cher gab.

---

[6] **oben:** auf dem Gipfel des Berges.
[7] **Geschmeide:** Schmuck.
[8] **blitzet:** glänzt.
[9] **wundersame:** schöne.
[10] **Melodei:** Melodie, Weise.
[11] **es:** das Lied.
[12] **schaut:** sieht.

[13] **Kahn:** Boot, Schiff.
[1] **Thule:** das äußerste Land am Nordrand der Welt, vielleicht Island oder Norwegen.
[2] **bis an das Grab:** bis zum Tode.
[3] **Buhle:** Frau, Liebste.

2. *Es ging ihm nichts darüber,*[4]
   Er leert' ihn jeden Schmaus;[5]
   Die Augen gingen ihm über,[6]
   So oft er trank daraus.

3. *Und als er kam zu sterben,*
   Zählt' er seine Städt' im Reich,
   Gönnt'[7] *alles seinen Erben,*
   Den Becher nicht zugleich.[8]

4. *Er saß beim Königsmahle,*
   Die Ritter um ihn her,
   In hohem Vätersaale[9]
   Dort auf dem Schloß am Meer.

5. *Dort stand der alte Zecher,*
   Trank letzte Lebensglut,
   Und warf den heil'gen Becher
   Hinunter in die Flut.[10]

6. *Er sah ihn stürzen, trinken,*[11]
   Und sinken in das Meer;
   Die Augen täten ihm sinken,
   Trank nie einen Tropfen mehr.[12]

HEIDENRÖSLEIN

Text: J. W. von Goethe (1749 - 1832)
Melodie: Heinrich Werner (1827)

1. Sah ein Knab____ ein Rös - lein stehn,
Rös - lein auf__ der Hei - den, war so jung und

---

[4] **es ging ihm nichts darüber**: nichts war ihm lieber als der Becher.

[5] **Schmaus**: Essen, Mahl.

[6] **die Augen gingen ihm über**: er weinte.

[7] **gönnt'**: gab, schenkte.

[8] **nicht zugleich**: aber nicht.

[9] **Vätersaale**: in der Halle, wo schon seine Vorväter saßen.

[10] **Flut**: Wasser, Meer.

[11] **ihn . . . trinken**: der Becher füllt sich mit Wasser.

[12] **die Augen täten ihm sinken / Trank nie einen Tropfen mehr**: er schließt seine Augen, er stirbt, darum trinkt er keinen Tropfen Wein mehr.

mor - gen-schön;[1] lief er schnell,— es nah zu sehn,

sah's mit vie - len Freu - den. Rös - lein, Rös - lein,

Rös - lein rot, Rös - lein auf der Hei - den.

2. Knabe sprach: ich breche dich,
   Röslein auf der Heiden!
   Röslein sprach: ich steche dich,
   Daß du ewig denkst an mich,
   Und ich will's nicht leiden.[2]
   Röslein, Röslein, Röslein rot,
   Röslein auf der Heiden.

3. Und der wilde Knabe brach
   's Röslein[3] auf der Heiden!
   Röslein wehrte sich und stach,
   Half ihm doch kein Weh und Ach,[4]
   Mußt es eben leiden.[5]
   Röslein, Röslein, Röslein, rot,
   Röslein auf der Heiden.

DER LINDENBAUM

Text: Wilhelm Müller (1794 - 1827)
Melodie: Nach Franz Schubert (1827)

1. Am Brun - nen vor dem To - re[1] da steht ein Lin - den-

---

[1] **morgenschön**: frisch und schön wie der Morgen.
[2] **und ich will's nicht leiden**: ich möchte es nicht fühlen.
[3] **'s Röslein**: das Röslein.

[4] **Weh und Ach**: Weinen und Schreien.
[5] **mußt es eben leiden**: er (der Knabe) mußte es sich gefallen lassen.

---

[1] **Tore**: das Tor der Stadt.

baum; ich träumt in sei - nem Schat - ten so man - chen sü - ßen Traum. Ich schnitt in sei - ne Rin - de so man - ches lie - be Wort; es zog in Freud und Lei - de zu ihm— mich im - mer- fort.

2. Ich mußt auch heute wandern
   Vorbei[2] in tiefer Nacht,
   Da hab ich noch im Dunkel
   Die Augen zugemacht.
   Und seine Zweige rauschten,
   Als riefen sie mir zu:[3]
   Komm her zu mir, Geselle,[4]
   |: Hier findst du deine Ruh! :|

3. Die kalten Winde bliesen
   Mir grad[5] ins Angesicht,[6]
   Der Hut flog mir vom Kopfe,
   Ich wendete mich nicht.
   Nun bin ich manche Stunde
   Entfernt[7] von jenem Ort,
   Und immer hör ich's rauschen:
   |: Du fändest Ruhe dort! :|

[2] **vorbei:** am Lindenbaum vorbei.
[3] **als riefen sie mir zu:** als ob sie mir sagen wollten.
[4] **Geselle:** Bruder, Freund.

[5] **grad:** gerade, genau.
[6] **Angesicht:** Gesicht.
[7] **entfernt:** weg, fort.

ABENDLIED

Text: Matthias Claudius (1740 - 1815)
Melodie: Joh. Abraham Peter Schulz (1790)

1. Der Mond ist auf - ge - gan - gen, die gold - nen Stern - lein

pran - gen[1] am Him - mel hell und klar; der

Wald steht schwarz und schwei - get, und aus den Wie - sen

stei - get der wei - ße Ne - bel wun - der - bar.

2. Wie ist die Welt so stille,
   Und in der Dämmrung Hülle[2]
   So traulich[3] und so hold![4]
   Gleich[5] einer stillen Kammer,[6]
   Wo ihr[7] des Tages Jammer[8]
   Verschlafen und vergessen sollt.

3. Seht ihr den Mond dort stehen?
   Er ist nur halb zu sehen
   Und ist doch rund und schön!
   So sind wohl manche Sachen,
   Die wir getrost[9] belachen,
   Weil unsere Augen sie nicht sehn.

---

[1] **prangen**: strahlen, leuchten, glänzen.
[2] **Dämmrung Hülle**: in der Hülle der Dämmerung, am Abend.
[3] **traulich**: nahe, intim.
[4] **hold**: schön, lieb.
[5] **gleich**: wie.
[6] **Kammer**: Zimmer.
[7] **ihr**: die Menschen.
[8] **Jammer**: Sorgen, Kummer.
[9] **getrost**: ohne weiteres.

REITERLIED

Text: Friedrich von Schiller (1759 - 1805)
Melodie: Christian Jacob Zahn (1797)

1. { Wohl auf Ka-me-ra-den, aufs Pferd, aufs Pferd! ins—
   Im— Fel-de da ist der— Mann noch was[2] wert, da—

Feld,[1] in die Frei-heit ge-zo-gen! } Da— tritt kein an-de-rer
wird das— Herz noch ge-wo-gen.[3]

für ihn ein, auf sich sel-ber steht er da ganz al-lein![4]

2. *Der Reiter und sein geschwindes Roß,*
   Sie sind gefürchtete Gäste![5]
   Es flimmern[6] die Lampen im Hochzeitsschloß;
   Ungeladen[7] kommt er zum Feste.
   /: Er wirbt nicht lange, er zeiget nicht Gold:
   Im Sturm[8] erringt er den Minnesold![9] :/

3. *Drum frisch,[10] Kameraden, den Rappen[11] gezäumt,*
   Die Brust im Gefechte gelüftet![12]
   Die Jugend brauset, das Leben schäumt;
   Frisch auf! eh der Geist[13] noch verdüftet![14]
   /: Und setzet ihr nicht das Leben ein,
   Nie wird das Leben gewonnen sein![15] :/

---

[1] **ins Feld:** in den Krieg.

[2] **was:** etwas.

[3] **da wird das Herz noch gewogen:** da wird der Mut noch geprüft.

[4] **auf sich selber steht er da ganz allein:** er ist auf sich selbst gestellt.

[5] **sie sind gefürchtete Gäste:** man hat vor ihnen Angst.

[6] **flimmern:** leuchten.

[7] **ungeladen:** ohne Einladung, von selbst.

[8] **im Sturm:** ohne Bitten.

[9] **Minnesold:** Liebeslohn.

[10] **frisch:** mit neuem Mut.

[11] **den Rappen:** das schwarze Pferd.

[12] **die Brust im Gefechte gelüftet!:** begeistert in die Schlacht gehen; hinaus in den Kampf!

[13] **der Geist:** die Kampflust.

[14] **verdüftet (verduftet):** verschwindet.

[15] **und setzet ihr nicht das Leben ein / Nie wird das Leben gewonnen sein!:** riskiert ihr euer Leben nicht, nie werdet ihr es behalten.

DER GUTE KAMERAD

Text: Ludwig Uhland (1787 - 1862)
Nach einer Volksweise (1825)

1. Ich hatt' ei-nen Ka-me-ra-den, ei-nen bes-sern findst du nit.[1] Die— Trom-mel schlug zum Strei - te,[2] er ging an mei-ner— Sei - te in glei-chem Schritt und— Tritt, in glei-chem Schritt und— Tritt.

2. *Eine Kugel kam geflogen,*
   Gilt sie mir oder gilt sie dir?[3]
   Ihn hat es weggerissen,[4]
   Er liegt zu meinen Füßen,
   /: Als wär's ein Stück von mir! :/

3. *Will[5] mir die Hand noch reichen,*
   Derweil[6] ich eben lad.[7]
   „Kann[8] dir die Hand nicht geben,
   Bleib du im ewgen Leben[9]
   /: Mein guter Kamerad!" :/

---

[1] **nit:** nicht.
[2] **Streite:** Kampf.
[3] **gilt sie mir oder gilt sie dir?:** ist die Kugel für mich oder dich?
[4] **weggerissen:** auf den Boden geworfen.
[5] **will:** er will.

[6] **derweil:** während.
[7] **lad:** das Gewehr lade.
[8] **kann:** ich kann.
[9] **ewgen Leben:** ewigen Leben, Himmel.

AN DIE FREUDE

Text: Friedrich von Schiller (1759 - 1805)
Melodie: Ludwig van Beethoven (1770 - 1827)
Aus dem Schlußchor der 9. Sinfonie

1. {Freu - de, schö - ner Göt - ter - fun - ken, Toch - ter aus E -
wir be - tre - ten feu - er - trun - ken,[2] Himm - li - sche, dein}

ly - si - um,[1] Hei - lig - tum! Dei - ne Zau - ber bin - den wie - der,

was die__ Mo - de streng ge - teilt, al - le Men - schen

wer - den Brü - der, wo dein sanf - ter Flü - gel weilt.

2. *Wem der große Wurf gelungen,*
Eines Freundes Freund zu sein,
Wer ein holdes Weib errungen,
Mische seinen Jubel ein![3]
Ja, wer auch nur eine Seele
Sein nennt[4] auf dem Erdenrund!
Und wer's nie gekonnt, der stehle
Weinend sich[5] aus diesem Bund.

3. *Freude trinken alle Wesen*
An den Brüsten der Natur;
Alle Guten, alle Bösen
Folgen ihrer Rosenspur.[6]
Küsse gab sie uns und Reben,[7]
Einen Freund, geprüft im Tod;
Wollust ward[8] dem Wurm gegeben,
Und der Cherub[9] steht vor Gott.

---

[1] **Elysium:** mythologisches Land, wo die Seligen glücklich weiter existieren.

[2] **feuertrunken:** begeistert.

[3] **mische . . . ein:** singe mit.

[4] **wer . . . eine Seele / Sein nennt:** wer einen Menschen für sich hat.

[5] **stehle . . . sich:** gehe weg.

[6] **Rosenspur:** Rosenweg.

[7] **Reben:** Wein.

[8] **ward** (*veraltet*): wurde.

[9] **Cherub:** Engel, der vor Gottes Thron stehen darf.

DER TANNENBAUM[1]

Nach dem Volksliede umgeformt von August Zarnack (1819)
Volksweise (1799)

1. O Tan-nen-baum, o Tan-nen-baum, wie treu sind dei - ne Blät - ter![2] Du grünst nicht nur zur Som - mer - zeit,[3] nein, auch im Win - ter wenn es schneit. O Tan - nen-baum, o Tan - nen-baum, wie treu sind dei - ne Blät - ter!

2. *O Tannenbaum, o Tannenbaum,*
Du kannst mir sehr gefallen.[4]
Wie oft hat nicht zur Weihnachtszeit
Ein Baum von dir[5] mich hoch erfreut.
O Tannenbaum, o Tannenbaum,
Du kannst mir sehr gefallen.

3. *O Tannenbaum, o Tannenbaum,*
Dein Kleid will mich was lehren;[6]
Die Hoffnung und Beständigkeit
Gibt Trost und Kraft zu aller Zeit.
O Tannenbaum, o Tannenbaum,
Dein Kleid will mich was lehren.

---

[1] **Tannenbaum**: Weihnachtsbaum.
[2] **Blätter**: Nadeln.
[3] **zur Sommerzeit**: im Sommer.
[4] **du kannst mir sehr gefallen**: du gefällst mir sehr gut.

[5] **ein Baum von dir**: ein Baum von deiner Art, ein Tannenbaum.
[6] **dein Kleid will mich was lehren**: deine immergrünen Nadeln sind mir ein Vorbild.

VOM HIMMEL HOCH[1]
DA KOMM' ICH HER

Text und Melodie: Martin Luther (1483 - 1546)

1. Vom Him - mel hoch — da komm ich her, ich
bring euch gu - te — neu - e Mär,[2] der
gu - ten Mär — bring ich so - viel, da -
von ich singn[3] und — sa - gen[4] will.

2. *Euch ist ein Kindlein heut gebor'n*
   Von einer Jungfrau auserkor'n,[5]
   Ein Kindelein so zart und fein,
   Das soll eur[6] Freud und Wonne sein.

3. *Es ist der Herr Christ, unser Gott,*
   Der will euch führ'n[7] aus aller Not,
   Er will eur Heiland selber sein,
   Von allen Sünden machen rein.[8]

4. *Lob, Ehr sei Gott, im[9] höchsten Thron,*
   Der uns schenkt seinen einz'gen Sohn,[10]
   Des[11] freuen sich der Engel Schar
   Und singen uns solch neues Jahr.[12]

---

[1] **vom Himmel hoch**: vom hohen Himmel.

[2] **Mär**: Botschaft, Neuigkeit.

[3] **singn**: singen.

[4] **sagen**: erzählen.

[5] **von einer Jungfrau auserkor'n**: von einer auserwählten Jungfrau.

[6] **eur**: eure.

[7] **führ'n**: retten.

[8] **von allen Sünden machen rein**: er will euch von allen Sünden erlösen.

[9] **im**: auf dem.

[10] **der uns schenkt seinen einz'gen Sohn**: der uns seinen einzigen Sohn gibt.

[11] **des**: darüber.

[12] **solch neues Jahr**: ein freudiges Neues Jahr.

ES IST EIN REIS
ENTSPRUNGEN

Melodie: aus dem 16. Jahrhundert
Tonsatz von Michael Praetorius (1609)

1. Es ist ein Reis ent-sprun - gen aus ei - ner Wur -
   wie uns die Al - ten sun - gen[2] von Jes - se kam

   - zel zart,[1] und hat ein Blüm-lein bracht[4] mit-ten im
   — der Art,[3]

   kal - ten Win - ter, wohl zu der hal - ben Nacht.[5]

2. *Das Blümelein so kleine,[6]*
   Das duftet[7] uns so süß,
   Mit seinem hellen Scheine
   Vertreibt's die Finsternis.[8]
   Wahr'r[9] Mensch und wahrer Gott
   Hilft uns aus allen Leiden,
   Rettet von Sünd und Tod.

---

[1] **aus einer Wurzel zart**: aus einer zarten, feinen Wurzel.

[2] **wie uns die Alten sungen**: wie die alten Propheten sangen.

[3] **von Jesse kam der Art**: von Jesse, dem Vater des Königs David von Israel abstammend.

[4] **bracht**: gebracht.

[5] **wohl zu der halben Nacht**: um Mitternacht.

[6] **das Blümelein so kleine**: das kleine Blümlein, die kleine Blume.

[7] **duftet**: riecht.

[8] **vertreibt's die Finsternis**: vertreibt es das Dunkel, die Nacht.

[9] **wahr'r**: wirklicher, echter.

STILLE NACHT, HEILIGE NACHT

Text: Josef Mohr (1818)
Melodie: Franz Gruber (1818)

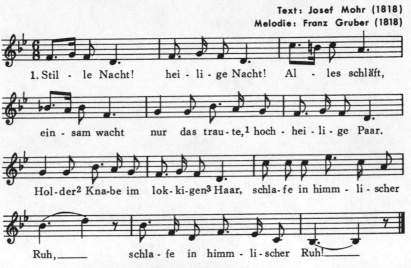

1. Stil - le Nacht! hei - li - ge Nacht! Al - les schläft,

ein - sam wacht nur das trau - te,[1] hoch - hei - li - ge Paar.

Hol - der[2] Kna - be im lok - ki - gen[3] Haar, schla - fe in himm - li - scher

Ruh,____ schla - fe in himm - li - scher Ruh!____

2. *Stille Nacht! heilige Nacht!*
   Hirten erst[4] kundgemacht![5]
   Durch der Engel Halleluja
   Tönt es laut von fern und nah:
   |: Christ der Retter[6] ist da! :|

3. *Stille Nacht! heilige Nacht!*
   Gottes Sohn, o wie lacht[7]
   Lieb aus deinem göttlichen Mund,
   Da uns schlägt die rettende Stund,[8]
   |: Christ, in deiner Geburt! :|

---

[1] **traute**: liebliche.
[2] **holder**: süßer.
[3] **lok-kigen**: lockigen.
[4] **erst**: zuerst.
[5] **Hirten ... kundgemacht**: von den Hirten wurde es verkündet, mitgeteilt.

[6] **Retter**: Heiland, Erlöser.
[7] **lacht**: spricht.
[8] **da uns schlägt die rettende Stund**: weil für uns die rettende Stunde gekommen ist.

BIOGRAPHIEN

BERTOLT BRECHT

Born in 1898 in Augsburg, Germany, of well-to-do parents, Brecht first studied science and medicine in Munich. Then he turned to the theater to become a writer and a dramatic producer until Max Reinhardt called him to the Deutsche Theater *in Berlin. In 1933 Brecht emigrated to California by way of Denmark, Finland, and Russia. He also lived briefly in Switzerland before finally returning to East Germany at the end of the war to found and direct the* Berliner Ensemble. *He died in 1956 in East Berlin. Brecht, a Marxist and active opponent of Nazism, was strongly anti-bourgeois. His socialist tendencies find their expression in such dramas as the* Threepenny Opera, Mother Courage, *and* The Caucasian Chalk Circle. *His efforts in other genres, notably the ballad collection,* A Home and Family Breviary, *and the short-story collection,* Almanac Tales, *also deserve attention.*

WILHELM BUSCH

Born in 1832 near Hannover, Busch studied art in Düsseldorf, Antwerp, and Munich. Combining a talent for drawing with a sense for parody and humor he produced cartoons of which Max und Moritz, *the prototypes for the* Katzenjammer Kids, *is best known. Busch's poetry, written in simple* Knittelvers *(doggerel), and his skillful and hilarious sketches remain popular in Germany today. He died in 1908.*

MATTHIAS CLAUDIUS

Born in 1740, the son of a pastor, Claudius first studied theology and then law at Jena. He worked as a private secretary in Copenhagen and later as a journalist in Hamburg where he edited the Wandsbecker Bote, *a newspaper containing contributions from writers of the "Storm and Stress" movement. He is known for religious, heart-felt, simple poems, many of which became folk songs. He died in 1815 in Hamburg.*

JOSEPH FREIHERR von EICHENDORFF

Born in 1788 in Upper Silesia, Eichendorff was the scion of a noble family from Lower Saxony. He studied law in Halle, Heidelberg, Paris, and Vienna, served as an officer in a Silesian company, and then worked for the Prussian government in Breslau, Danzig, Königsberg, and Berlin. He died in 1857 in Neiße. The religious sentiment and love for nature and music which characterize his poetry place him squarely in the midst of the German romantic movement. His poems have inspired many composers, notably Schumann and Gluck, to set his words to music.

OTTO ERNST

Born in 1862 near Hamburg, Otto Ernst (full name Otto Ernst Schmidt) was by profession an elementary school teacher in Hamburg. He founded the Literarische Gesellschaft *and eventually became a free-lance writer. Ernst wrote successful and popular comedies, children's stories, satires, short stories, novels, and poems. He died in 1926.*

THEODOR FONTANE

Born in 1819 in Prussia, a descendant of French Huguenot immigrants, Fontane had a checkered career. He was a pharmacist in Leipzig, a free-lance writer in Berlin, a foreign correspondent in London, a war correspondent for the Prussian army during the wars of 1866 and 1870, and finally a theater critic in Berlin. His literary career had two distinct periods: the earlier marked by the publication of Balladen, *ballads dealing with English themes and German patriotic events, and the later, beginning in 1878, with the publication of his first novel,* Vor dem Sturm. *In his "Berlin" novels (1882–*

1899), *Fontane proved himself a master of psychological realism. He died in 1898.*

EMMANUEL GEIBEL

Born in 1815 in Lübeck, where he died in 1884, Geibel wrote his first poems while employed as a private tutor in Athens. Achieving immediate fame, he was awarded a yearly stipend by the Prussian king in 1843. Later called to Munich, he became professor of aesthetics at the University and head of the Munich school of poets. Geibel is chiefly known for his numerous political poems and songs.

STEFAN GEORGE

Born in 1868 in Rüdesheim near Bingen on the Rhine, son of a winegrower and innkeeper, George studied philosophy and art history in Berlin and Vienna. As the center of a group of young poets, the Georgekreis, *he influenced many writers of his time. George's abstruseness and his Nietzschean belief that poetry is for the few who can ascend the heights of its thought set him in sharp contrast to the neoclassical tenets of the Munich school. His poetic vision of a new German empire, in many ways like Nietzsche's vision of the "new man," was misunderstood as a prophecy of the Third Reich. He left Germany in 1933 for Switzerland, where he died the same year.*

JOHANN WOLFGANG von GOETHE

Goethe was born in 1749 in Frankfurt and died in 1832 in Weimar. Usually considered the greatest German poet and prose writer, he was also a competent artist, an able statesman, and something of a scientist. During his long life Goethe composed literary works of major importance in almost every genre; his position in German letters is roughly equivalent to that of Shakespeare in English.

Goethe's lyric poetry is often marked by an intensity and seeming simplicity evocative of the German folksongs that he was among the first to collect.

WILHELM HAUFF

Born in Stuttgart in 1802, Hauff studied theology in Tübingen, worked as a tutor, and later was editor of the Morgenblatt für gebildete Stände. *Many of his poems and songs eventually became folk songs. In addition, Hauff wrote short stories, the first historical novels in German, and two volumes of well-known fairy tales for children,* Das Wirtshaus im Spessart *and* Die Karawanne. *He died, just 25 years old, in 1827 in Stuttgart.*

HEINRICH HEINE

Heine was born in 1797 in Düsseldorf, the son of a Jewish merchant. After studying law in Bonn, Göttingen, and Berlin, he traveled through Europe for several years. In 1831 Heine took up permanent residence in Paris, where he remained until his death in 1856. This self-imposed exile become a necessity after the German Parliament banned some of his writings. Heine was not only a lyric poet of genius, but also a master of political satire and romantic irony.

AUGUST HEINRICH HOFFMANN von FALLERSLEBEN

Born in 1798 in Fallersleben, Hoffmann, under the influence of Jakob Grimm, studied German philology and became a professor at Breslau in 1830. Because of his liberal Unpolitische Lieder *he was dismissed and banished in 1842. For many years he wandered through Germany, finally becoming librarian to the Duke of Ratibor in Westphalia. One of his poems later became the German national anthem, the* Deutschlandlied. *He died in 1874.*

HUGO von HOFMANNSTHAL

Born in 1874 in Vienna, Austria, where he lived, worked, and died (1929), Hofmannsthal is the major representative of the Viennese school of neo-romanticism, impressionism, and symbolism. His poetry and dramas are written in the skeptical and melancholy fin de siècle *style. Hofmannsthal produced several opera librettos for Richard Strauß, among them* Der Rosenkavalier. *One of his dramas,* Jedermann, *based on a medieval mystery play, is traditionally given at the Salzburg Festival every year.*

ERICH KÄSTNER

Born in 1899 in Dresden, writer-journalist Kästner is now living in Munich, where he was literary editor for the Neue Zeitung *from 1945 to 1948. He is best known for his moralistic satire, his humorous, clever children's books—such as* Emil and the Detectives— *and his poetry.*

AUGUST KOPISCH

Born in 1799 in Breslau, Silesia, Kopisch studied art in Prague and Vienna. Following an interest in folklore and folksongs, he turned to writing poetry. Like the minstrels of old, he first composed his poems orally, and only after recitation recorded them. Fairy tales and legends were his favorite sources. Many of his drinking songs were set to music and became popular with students. He died in 1853 in Berlin.

HEINRICH LERSCH

Lersch, born in 1889 in Mönchen-Gladbach, Rhineland, worked as a boiler maker before turning to writing. In his poetry he concentrated primarily on the life and world of the working man. His Soldatenabschied *became one of the most popular songs of World War I. He died in 1936.*

DETLEV von LILIENCRON

Born in 1844 in Kiel, Schleswig-Holstein, Liliencron fought as an officer in the wars of 1866 and 1870–71, but forced to resign his commission because of debts, he emigrated temporarily to the United States. Later he returned to Germany to work as a piano teacher and writer. An outstanding impressionistic and lyric poet, Liliencron is at his best in ballads of war, love, and the chase. He died near Hamburg in 1909.

MARTIN LUTHER

Born in 1483 in Eisleben, Saxony, of middle-class parents, Luther early became an Augustinian monk. His activities as a reformer, however, led to his break with Roman Catholicism in 1521 and the founding of his own church. Luther's translation of the Bible was not merely a religious, but also a literary event of major importance. Also, many of his hymns are still sung today. Among these are Ein' feste Burg ist unser Gott *and the Christmas carols* Vom Himmel hoch *and* Away in a Manger. *Luther died in Eisleben in 1546.*

CONRAD FERDINAND MEYER

Born in 1825 in Zürich, Switzerland, Meyer's early development was impeded by his father's death, by conflicts with his Calvinist mother, and by his failure as a writer and law student. In later years, however, Meyer enjoyed overwhelming success, both as a lyric poet and a short-story writer. His poems, published in the volume Gedichte *in 1882, show him to be one of the first German symbolists. A prolific prose writer, Meyer wrote on such widely differing historical themes as the Thirty Years' War, the Huguenot Wars in France, Thomas à Becket's feud with Henry II of England, and political intrigue in Renaissance Italy. He died in 1898 in Kilchberg, Switzerland.*

JOSEPH MOHR

Mohr was born in 1792 in Salzburg, Austria. While an assistant priest near Salzburg he composed the text of Stille Nacht *on Christ-*

mas Eve, 1818. The poem was set to music by his organist friend Franz Gruber and subsequently became one of the best-known Christmas carols.

CHRISTIAN MORGENSTERN

Born in 1871 in Munich, Morgenstern, a dramatic producer and poet, became famous chiefly for his parodies, satires, and series of nonsense poems, the most popular volume being Die Galgenlieder (The Gallows Songs). He is also known for his religious poetry and for his translations into German of the works of Hamsun, Ibsen, and Strindberg. Morgenstern died of tuberculosis in 1914 in Merano, Italy.

EDUARD MÖRIKE

Born in 1804 in Ludwigsburg, Swabia, Mörike was the last great representative of the Schwäbische Dichterschule. Originally a pastor, he gave up this profession in 1844 to become a writer and teacher. In Mörike's prose, especially the novel Maler Nolten, we see the strong influence of Goethe. Many of his ballads and songs, filled with a serene melancholy, have been set to music by Hugo Wolf. Mörike died in Stuttgart in 1875.

FRIEDRICH NIETZSCHE

Born in 1844, the son of a Protestant minister, Nietzsche studied theology and philology at Bonn and then at Leipzig. Here he made the acquaintance of Richard Wagner, whose music drama greatly influenced his first work, The Birth of Tragedy. Nietzsche became one of the youngest professors in the history of the University of Basel; however, his teaching career brought him little satisfaction. Increased isolation from society, symptomatic of a progressive nervous disorder, led to insanity in 1889. A "prophetic" philosopher-poet, Nietzsche attacked Christian moral values and set in their place the "superman" ideal. His ideas have had a significant influence upon writers, thinkers, and politicians of the nineteenth and twentieth centuries. Nietzsche's prose, which is striking, aphoristic, and metaphorical, *ranks among the best in German literature. He died in Weimar in 1900.*

RAINER MARIA RILKE

Rilke was born in Prague in 1875 and died in Switzerland in 1926. After finishing studies in Munich, Vienna, and Berlin, he served in the Austrian army during World War I. The remainder of his life he spent, as we feel in the haunting, rather melancholy poem Herbsttag, *unhappily wandering from one city to another. Although Rilke wrote short stories and novels, his fame rests primarily upon his lyrics, especially two later collections,* The Sonnets to Orpheus *and* The Duino Elegies.

JOACHIM RINGELNATZ

Born in 1883 near Leipzig, Ringelnatz, whose real name was Hans Bötticher, is known for his humorous and nonsensical poetry, which he recited in cabarets in Munich and Berlin. He died in 1934.

EUGEN ROTH

Born in 1895 in Munich, the son of a publisher, Roth was the editor of a Munich newspaper until 1933. Since then he has been a free-lance writer of light, humorous poetry and short stories.

FRIEDRICH von SCHILLER

Born in Marbach, Swabia, in 1759, Schiller is one of Germany's greatest dramatists. He studied medicine at a military academy near Stuttgart but fled when he was forbidden to write. During his early "Storm and Stress" period he composed plays filled with an impassioned social protest. His later friendship with Goethe influenced Schiller to turn toward classicism and to write classical dramas such as Maria Stuart *and* Die Braut von Messina. *Schiller's poems reveal*

the same strains of idealism and pathos that are found in his plays.
He died in 1805 in Weimar.

GUSTAV SICHELSCHMIDT

Born in 1913 in Remscheid, Westphalia, Sichelschmidt, a librarian
by profession, now lives in Berlin. He has written poetry, a children's
book, and essays.

THEODOR STORM

Born in 1817 in Husum, Schleswig-Holstein, Storm had a profound
impact on the development of the short story in Germany. He
developed a simple and objective prose style which was to influence
later neo-romantic and impressionist writers. As Storm turned more
and more toward realism and restraint, he became virtually incapable
of writing a humorous story with a happy ending. Essentially a
regionalist, Storm depicted with sharp psychological realism the
daily life and landscape of northern Germany, in both his prose
and poetry. He died in 1888 in Hademarschen.

GEORG TRAKL

Born in 1887 in Salzburg, Austria, Trakl was an expressionist
poet whose writings deal with death, evil, disintegration, misery,
and sadness. His poems strangely intermingle reality with the world
of dreams. Trakl committed suicide in 1914 at the age of 27.

LUDWIG UHLAND

Uhland was born in 1787 in Tübingen, where he died in 1862.
After studying law and languages, Uhland began his career as a
lawyer in Stuttgart, but eventually became professor of German in
Tübingen. Politically an active liberal, he belonged to the Frankfurt
National Assembly. Uhland was the center of the Swabian circle of

writers and an influential romantic poet and dramatist. His ballads and romances, Bertran de Born, Des Sängers Fluch, Schwäbische Kunde, to name a few, deal mainly with historical subjects taken from medieval sagas and tales. Several of his poems (e.g., Der gute Kamerad) have become folk songs.

CHRISTIAN FELIX WEIβE

Born in 1726 in Annaberg, Silesia, Weiße began his literary career as an anacreontic poet and later turned to the writing of successful rococo dramas. His Singspiele enjoyed great popularity and helped to renew interest in operettas in Germany. A popular writer of children's stories, he also edited a children's magazine called Der Kinderfreund. He died in Leipzig in 1804.

WÖRTERVERZEICHNIS

Verbs with inseparable prefixes are listed in regular alphabetic order; verbs with separable prefixes are listed according to the initial letter of the verb (i.e., "fort-reißen" follows "reißen"). The vowel changes in the principal parts of strong verbs are indicated after the verb (i.e., befehlen, (ie), a, o); mixed verbs (i.e., bringen, a, a) have been handled in the same manner. Idiomatic expressions are found following the key word (i.e., "die Seele Gott befehlen" under "befehlen").

A

die **Abendglocke, -n** vesper bell

der **Abendsonnenschein** evening sunshine

die **Abendstille** evening calm

die **Abfahrt, -en** departure

der **Abgrund, ᵘe** abyss

ächzen to groan, moan

ade farewell, goodbye

adelig noble

ahnen to foresee, guess

die **Ahnung, -en** presentiment, foreboding, misgiving

die **Ähre, -n** ear of wheat, grain

das **Ährenfeld, -er** grainfield

die **Allee, -n** road or boulevard lined with trees

allezeit forever

der **Altan, -e** balcony, gallery

der **Anblick, -e** sight

aneinander (joined) together

das **Angesicht, -e** face

angespannt tense, strained

angetan dressed, clothed

angezeigt designated

ängstlich uneasy, fearful

der **Anhänger, -** follower

das **Antlitz, -e** face

der **Arbeitsfrieden** peaceful work

ärgerlich irritating

der **Arme, -n** poor wretch

die **Armut** poverty

die **Asche, -n** ashes

der **Ast, ᵘe** branch

auch wenn even if

aufeinander one after another, successively

der **Aufenthalt, -e** residence, stay

die **Aufforderung, -en** invitation, summons, challenge

aufgedonnert dressed to kill, all dolled up

die **Aufklärung** enlightenment, explanation

aufrecht upright, straight

auserkoren chosen

der **Ausgang** result

die **Ausgeburt, -en** offspring, product
— **der Hölle** devil

der **Ausverkauf, ᵘe** store, sale
im — for sale

B

der **Bach, ᵘe** brook

die **Backe, -n** cheek
aus vollen —n lachen laugh heartily

der **Bäckermeister, -** baker

die **Bahnhofshalle, -n** railway station lobby

der **Balken, -** beam

das **Band, ᵘer** ribbon
bang(e) anxious, fearful, frightened

sich **bangen** to fear, be afraid

der **Bart, ᵘe** beard

der **Bauch, ᵘe** belly, stomach

bauen to build

bayrisch Bavarian

beachten to notice

beben to tremble, shake

der Becher, - goblet, cup

das Becken, - bath tub, basin

bedächtig deliberate, slow

bedecken to cover

bedenken, a, a to consider, plan

bedeuten to mean, signify

bedürfen, a, u to need

beerdigt buried

befallen (ä), ie, a to take hold

befehlen (ie), a, o to order, instruct

   die Seele Gott — commend one's soul to God

sich begeben (i), a, e to go to, set out for

sich weg-begeben (i), a, e to go away

begehren to want, desire

das Begehren wish, desire

die Begeisterung enthusiasm

der Begleiter, - companion

begraben (ä), u, a to bury

behalten (ä), ie, a to keep

behend(e) nimbly, quickly

behüten to guard, protect

der Beifall approval, applause

das Beil, -e hatchet, ax

beinah nearly, almost

beinern ivory, bony

beisammen together

bekränzt adorned with flowers

belachen to laugh about, make fun of

die Belehrung, -en advice, instruction, teaching

beleidigt insulted, offended, hurt

benetzen to make wet, moisten

bequem easy, comfortable, pleasant

berappen to plaster, roughcast

bereiten to prepare

bereits already

bergen (i), a, o to hide, conceal

das Bergesschloß, ⁻er castle on a mountain

bersten (i), a, o to burst, break

beschauen to inspect, glance at

die Bescheidenheit modesty, unpretentiousness

beschwingt jovial, gay; winged

die Beschwörung, -en incantation

das Besinnen reflection

der Besitz, -e possession

   im —(e) in possession of

sich besitzen, a, e to own, possess

besprechen (i), a, o to charm

bestanden successful, passed (a test)

die Beständigkeit consistency, steadfastness

bestehen, a, a to endure, last, survive, be valid

bestellen to order; appoint

betäubt stunned, numbed, dazed

das Beten praying

der Beter, - praying person, worshiper

betrachten to watch, observe

betreten (i), a, e to enter; step on

der Bettfuß, ⁻e foot of the bed

beugen to bend, bow; decline a noun

   sich — to bow down

der Beutel, - purse

beweisen, ie, ie to prove

bewußt conscious

hinunter-biegen, o, o to turn downhill

die Biegung, -en bend (in the road or river)

an-bieten, o, o to offer

bilden to form, fashion

fest-binden, a, u to tie

blank shining, white

blasen (ä), ie, a to blow, blow a horn

   auseinander — to disperse, scatter in all directions

aus-blasen (ä), ie, a to extinguish, blow out

blaß pale

blättern to leaf through, rustle

das **Blechschild, -er** plaque, name-plate on a tombstone
bleich pale
der **Blick, -e** glance, gaze, look
blicken to look, gaze
drein-blicken look, appear
blindlings recklessly
blinken to shine, gleam
— **von** to gleam, shine with
der **Blitz, -e** bolt of lightning
blitzen to flash, sparkle
die **Blitzesschnelle** speed of lightning
bloß only, merely
der **Blumenkranz, ⁻e** wreath
die **Blütenfee, -n** blossom fairy
blütenreich flowery
das **Blütenschneegestöber, -** shower of flower petals
blutig bloody
der **Blutstrahl, -en** spurt of blood
das **Bombenflugzeug, -e** bomber
der **Böse, -n** devil, evil one
der **Brand, ⁻e** fire, blaze
die **Brandung, -en** surf
der **Brauch, ⁻e** action, ritual, practice
brauchbar useful
die **Braue, -n** eyebrow
brausen to roar, rush
die **Braut, ⁻e** bride
brechen, (i), a, o to break, pluck
bis sich's im Winde brach until one could not hear it any longer
brechend breaking
durch-brechen (i), a, o to smash, break
nieder-brechen (i), a, o to root out, cut down, destroy
um-bringen, a, a to kill, murder
brüllen to roar, shout, scream
der **Brunnen, -** well, fountain
sich **brüsten** to boast
der **Bube, -n** apprentice, boy, lad
bügeln to iron, press
die **Buhle, -n** wife, sweetheart, mistress

der **Buhle, -n** lover, sweetheart
der **Bund, ⁻e** union, circle
der **Burghof, ⁻e** courtyard
der **Bursche, -n** fellow, lad, apprentice
die **Burschenlust** student enthusiasm, esprit de corps
der **Busen, -** bosom, heart
die **Buße, -n** atonement, repentance

C

der **Chor, ⁻e** chorus, choir
das **Christkind** German equivalent of Santa Claus, the Christ child

D

das **Dachgestühl, -e** attic, roof
die **Dämmerung** dawn
der **Dämon, -en** demon, ghost, spirit
darob for this reason
zu-decken to cover
dennoch nevertheless
derweil while, during
deuten to interpret, explain
hin-deuten to point at
d. h. (das heißt) that is to say
dicht close, tight, tightly woven
der **Diener, -** servant
die **Dirne, -n** girl, wench, maid
das **Dirndl, -** girl
die **Dohle, -n** jackdaw
der **Domherr, -en** canon (clergyman)
die **Donau** Danube River
der **Donner** thunder
doppelt double, twice
der **Dorfschullehrer, -** teacher in a village
der **Dorn, -e(n)** thorn
der **Drahtverhau, -e** barbed wire
drall buxom, well-fed, healthy
hin-drängen to urge, hurry, force

drehen to turn, revolve
um-drehen to turn on, around
dröhnen to roar, resound
die Drossel, -n thrush
drunten down below
der Duft, ⁻e scent
duften smell, give off fragrance
duftig fragrant
dumpf hollow, muffled, sticky, humid, hot
durchbeben to agitate, move; to thrill, inspire, stir
durchdringen, a, u to pierce, penetrate
durchgraut horror-stricken
dürr dry, dead; skinny, gaunt
durstüberquält tormented by thirst
düster shadowy, gloomy

E

die Edelfrau, -en noble lady
ehe before
der Ehebruch, ⁻e adultery
die Ehre, -n honor
ehrenwert venerable
ehrlich honestly
das Eigentum, ⁻er possession
die Eile hurry, haste
eilen to hurry, rush
eilends quickly
einander each other
eingemauert fitted, finished
die Einkehr stop, visit
einsam lonely
der Einsame, -n solitary person
einst once upon a time
die Eintagsfliege, -n short-lived fly
eintönig monotonous(ly)
die Einzahl singular (gr.)
einzig only
das Elfenbein ivory
empfangen (ä), i, a to receive, welcome

der Engel, - angel
entfernt away, distant
entfesselt set free, unleashed
entflammen to inflame, catch fire
entfliehen, o, o to flee, escape, run away
enthüllt uncovered, unveiled, naked
entlang along
entsagen to renounce
entschlafen (ä), ie, a to fall asleep, die
entsetzlich horrible, frightening
entsetzt shocked, horrified
entspringen, a, u to come from, arise, originate
entstellt disfigured
entweichen, i, i to escape (from), slip away (from)
das Entzücken delight
entzwei (broken) in two
entzweien to separate, set at variance
der Erbe, -n heir
erbeben to tremble, shiver
erbleichen, i, i to grow pale
erblicken to see, notice
erblinden to go blind, be blinded
erblühen to blossom
das Erbrechen vomiting
die Erbse, -n pea
das Erdenrund world, universe
erfüllen to fulfil
ergeben (i), a, e to resign
   sich — in to resign oneself to fate
sich ergetzen (ergötzen) to have a good time
sich ergießen, o, o to pour itself into, empty itself into
ergreifen, i, i to grasp, seize, attack
erhalten (ä), ie, a to keep
erheben, o, o to lift up, move, raise
   sich — to arise, get up; to elevate, exalt

erklingen, a, u to (re)sound, ring out

erküren (erkiesen), o, o to choose (*usually in a spiritual sense*)

erlauben to permit

der **Erlkönig (Erlenkönig)** elf king

der **Erlöser** Savior, Christ

erquicken to refresh, invigorate

erraten (ä), ie, a to guess

erringen, a, u to claim, win

erröten to blush

ersaufen, o, o to be (get) drowned

erschauen to catch sight of, see

das **Erstaunen** astonishment

ersticken to smother, stifle, suffocate

ertrinken, a, u to drown

erwachen to awake

erwachsen (ä), u, a to stir, grow, arise

erwarten to await, expect

erweisen ie, ie, to prove

    Gunst — to do a favor

erzgegossen cast from iron

erzwingen, a, u to succeed, force

der **Esel, -** ass; fool, idiot

ewig always, forever; eternal

F

fächelnd fan-like, fanning

die **Fackel, -n** torch

die **Fahne, -n** flag, banner

    zur — fortmüssen go into the army

das **Fähnlein, -** banner, small flag

aus-fahren (ä), u, a to fall, stumble

fort-fahren (ä), u, a to continue

vorüber-fahren (ä), u, a to pass by

die **Fahrt, -en** ride, travel, trip

der **Falke, -n** falcon

der **Fall, ⁔e** case of a noun (*gr.*)

fallen (ä), ie, a to strike (lightning)

auf-fallen (ä), ie, a to strike, be conspicuous

falten to fold

der **Fant, -e** little creature, plaything

das **Faß, ⁔er** barrel, tub

fassen to hold, grasp

an-fassen to touch, take hold of, seize

(ein-)fassen to hem

fasten to fast

der **Faulpelz, -e** lazybones

der **Federball, ⁔e** featherball; badminton

fehlen to miss, lack

der **Fehler, -** fault

das **Feierkleid, -er** festive dress, Sunday dress

der **Feiertag, -e** holiday

das **Feld, -er** field; battlefield, war

    feldaus, feldein through fields and meadows

das **Felsenriff, -e** cliff

die **Felsenwand, ⁔e** cliff

die **Ferne, -n** distance, faraway land

das **Fernglas, ⁔er** binoculars

das **Feuerglöcklein, -** fire bell

die **Feuerleiter, -n** fire ladder

der **Feuerreiter** fire rider (*a mythological figure announcing a fire*)

feuertrunken enthusiastic

die **Feuerwacht, -en** fire guard

der **Fichtenbaum, ⁔e** spruce tree

fieberwild feverish, delirious

der **Fink, -en** finch

finster gloomy, morose, sinister, dark

die **Finsternis, -se** darkness, night

flackern to flicker

flämisch Flemish

die **Flamme, -n** flame

flammen to flame, burn

die **Flammenschrift, -en** fiery script

flattern to flutter

fort-flattern to flutter off

der **Fleck, -e** blemish

sich **hinweg-flecken** to clear out, take off, get out of the way

flehen to beg, implore, plead for

der **Fleischer, -** butcher

der **Fleiß** diligence, assiduousness

vorbei-fliegen, o, o to fly past

fliehen, o, o to flee, escape

vorbei-fliehen, o, o to pass by

flimmern to glitter

flink swift, fast

der **Floh, ⁻e** flea

die **Flosse, -n** fin

flöten to play the flute

flott gay, lively

der **Fluch, ⁻e** curse

fluchen to curse, swear

das **Fluchen** cursing

die **Flucht, -en** escape, flight

sich **flüchten** to take refuge, escape

der **Flügel, -** wing

die **Flur, -en** field, meadow

der **Fluß, ⁻e** river, flow

flüstern to whisper

die **Flut, -en** sea; tide, flood

der **Folterknecht, -e** torturer

frech cocky, fresh, bold, impudent

die **Freiheit** freedom, liberty

freilich of course, naturally

fressen (i), a, e to eat, devour (of animals)

die **Freudigkeit** joy, happiness

freventlich sacrilegious

frevler (frevelhaft) sacrilegious, shameless

der **Friedenstag, -e** day during peacetime

friedlich peaceful, peaceable

das **Friesengewächs** Frisian(s)

froh happy, joyous, gay

die **Frucht, ⁻e** fruit

die **Frühlingszeit, -en** springtime

der **Frühtau** morning dew

fügen to add, join

hinaus-führen to lead away

füllen to fill up, occupy

der **Funke, -n** spark

funkeln to sparkle, shine, glisten

die **Furcht** fear

sich **fürchten** to fear, be afraid

der **Fürwitzige, -n** nosy fellow

G

die **Gabe, -n** gift, favor, offering, present

gähnen to yawn, gape

das **Gähnen** yawning

der **Gang, ⁻e** gait, stride, walk; hallway

die **Gasse, -n** alley, lane, street

der **Gast, ⁻e** guest

die **Gebärde, -en** gesture, movement

acht-geben (i), a, e to pay attention

preis-geben (i), a, e to abandon

um-geben (i), a, e to cover

gebieten, o, o to command, give orders, rule

das **Gebild, -e** creature

das **Gebrüll** roaring

gebückt bent (with age)

gedämpft mellow(ed), softened

geduldig patient(ly)

der **Gefährte, -n** companion

gefallen (ä), ie, a (*dat.*) to please

sich — **lassen** to put up with, submit to something

das **Gefecht, -e** battle, fight

der **Gegenstand, ⁻e** object, implement

das **Gegenteil, -e** contrary, reverse

gehalten patient

das **Gehau, -e** brush, thicket

geheiligt sacred, holy

das **Geheimnis, -se** secret

auf-gehen, i, a to rise; to open, come undone

ein-gehen, i, a to agree

über-gehen, i, a to overflow

unter-gehen, i, a to vanish, disappear; to be destroyed

vorüber-gehen, i, a to pass by

das **Vorübergehen,** passing by, walking past

geheuer safe

nicht — eerie, haunted

die **Geißel, -n** scourge, lash, whip

der **Geist, -er** phantom, ghost; spirit, life, mind

der **Geisterchor, -e** chorus of ghosts or spirits

dahin-geistern to waft around

die **Geisterschar, -en** group of goblins or ghosts

die **Geistesstärke** will power, mental power

das **Gelächter, -** laughter

das **Gelag, -e** party

gelassen calm, poised

gelegen situated

der **Gelehrte, -n** scholar

gelingen, a, u (*dat.*) to succeed

gellen to resound, echo, make one's ears ring

gellend shrill, piercing

gelten (i) a, o to be of value

da galt kein Vorbereiten there was no time for preparation

wo's zu ziehn gilt where pulling is in order

dem König gilt es zuleid it's the king's tough luck

gilt es mir oder gilt es dir is it destined for me or for you

gemach softly, quietly, gently, unhurriedly

das **Gemach, -er** chamber

das **Gemahl, -e** wife, lady, spouse

das **Gemälde, -** painting

die **Gemeinde, -n** community

die **Gemme, -n** gem, jewel

sich **genießen, o, o** to enjoy, savor

der **Genoß, -en** companion, comrade

das **Gepoch** beating

das **Gerät, -e** objects, utensils, (sacred) vessels

geraum roomy; distant, long (of time)

gering small

das **Gerippe, -** skeleton

der **Gesang, -e** song, singing

das **Gesäß, -e** seat, posterior, rear

geschehen (ie), a, e to feel, perceive; happen

gescheit clever

nicht — sein to be crazy, be mad

das **Geschlecht, -er** race, kind

das **Geschmeide, -** jewelry

geschmeidig supple, elastic

geschwind rapidly, quickly, fast

die **Geschwister** (*pl.*) brother(s) and sister(s), siblings

gesegnet blessed, consecrated

der **Geselle, -n** companion, journeyman

gesellschaftlich social(ly)

das **Gesinde, -** servants

gespannt tense, anxious

das **Gespräch, -e** talk, conversation

gestatten to permit, give leave

gestehen, a, a to admit, confess

die **Gesundheit** health

getaucht sunk, plunged, dipped

getreu faithful

getrost confident

gewähren to grant

die **Gewalt, -en** force

gewaltig forceful, powerful

das **Gewand, -er** gown, robe, clothing

gewandt versatile; clever

— in Rat und Tat (sein) to be a competent and skillful advisor

das **Gewässer, -** flood, water

das **Gewebe, -** cloth, material

der **Gewinn, -e** winning, gain

sich selbst nicht zum — sein to be a loser

das **Gewitter, -** thunderstorm, storm

gewogen sein (*dat.*) to be favorably inclined toward

das **Gewühle, -** turmoil, bustle

geziert adorned, graced

die **Gier** greed, zeal, eagerness

hinein-gießen, o, o to pour into

giftig poisonous

der **Gipfel, -** peak, summit; treetop

der **Gips** plaster

das **Gitter, -** fence, railing

der **Glanz** splendor, luster

glänzen to shine, glitter

glänzend radiant

glatt smooth, polished

der **Glauben** faith

gleich same; at once

es ist — it's all the same, it makes no difference

gleichgültig indifferent(ly)

gleiten, i, i to slide

nieder-gleiten, i, i to fall down, slide

das **Glied, -er** limb

der **Glockengießer, -** bell founder

glücken to succeed

glühen to burn, glow

die **Glut, -en** ardor, fervor; fire; boiling metal

die **Gnade, -n** mercy

gnade Gott mir God help me

der **Gnadenschmaus** the last meal before execution

der **Goldstrahl, -en** golden ray, sunbeam

der **Goldteppich, -e** golden carpet

gönnen to give, bequeath

der **Götterfunken, -** divine spark

die **Göttergestalt, -en** god, goddess

der **Gotteslohn** heavenly reward

das **Grab, ⁻er** grave

der **Graf, -en** count

die **Gräfin, -nen** countess

der **Gram** grief, misery

gramvoll sad

grapsen to snatch, grab

gräßlich awful, shocking, disgusting

das **Grauen** horror, shuddering

der **Graus** catastrophe, horror

graus terrible, frightening

das **Grausen** horror

grausen to shudder

an-greifen, i, i to touch

der **Greis, -e** old man

greulich horrid, fearsome

die **Grille, -n** caprice, moodiness

—n fangen to be in the dumps

der **Grimm** anger, fury, wrath

grimmig fierce, furious

grinsen to grin

grollen to rumble

die **Gruft, ⁻e** grave, vault

der **Grund, ⁻e** bottom; valley; reason

grünen to be green, grow

grünspiegelnd shimmering green

gucken to look

gülden golden

die **Gunst** favor

der **Guß, ⁻e** gush, casting, pouring

gütig graciously, kindly

H

hacken chop, hack

der **Häher, -** jay

der **Hahn, ⁻e** tap, faucet; rooster, cock

der rote — fire

der **Haifisch, -e** shark

häkeln to hook, angle, grab

hallen to resound

halten (ä), ie, a to keep; to stop

landwärts — to hold toward land

an-halten (ä), ie, a to last

fest-halten (ä), ie, a to hold fast to

auf-hängen, i, a to hang

die **Harfe, -n** harp

der **Harfenspieler,** - harp player

haschen to catch, grab

der **Hase, -n** rabbit, hare

der **Haselstrauch,** ⸚**er** hazel bush

die **Hast** haste, hurry

hastig quickly

der **Hauch** breath; breeze

hauen, ie, au to blow, hew, strike

das **Haupt,** ⸚**er** head

hauptsächlich for the most part, mainly

auf-heben, o, o to pick up

hechelnd breath-taking

hehr majestic

die **Heide, -n** heath

das **Heideland** heath, moorland

das **Heidenröslein,** - wild rose

das **Heil** luck, happiness

der **Heiland** Savior, Christ

heilig sacred, holy

die **Heiligkeit** saintliness, holiness

das **Heiligtum,** ⸚**er** sanctuary

die **Heimat** native land, birthplace

die **Heimatwelt** home, country

heimlich strangely, secretly

heimwärts homeward

das **Heinzelmännchen,** - brownie

heisa exclamation of excitement

heißen, ie, ei to invite, bid

das **Heldenbuch,** ⸚**er** collection of heroic legends

das **Heldengeschlecht, -er** generation or family of heroes

das **Hemd, -en** shirt, shift; shroud; garment

hemmen to stop, check

die **Herberge, -n** hostel

herbstkräftig autumn-rich, autumn-ripe

der **Herd, -e** hearth, fireplace

der **Herr** Lord, God

der **Herrgott** Lord, God

herrlich marvellous, splendid, gorgeous

herrschen to reign, rule

das **Herzeleid** heartache

sich **herzen** to caress, embrace

der **Herzschlag,** ⸚**e** heart beat

das **Heulen** howling

der **Hexenmeister,** - sorcerer, magician

hierzuland in this country, here

der **Himmelsglanz** heavenly splendor

das **Himmelszelt** heaven, sky, firmament

himmlisch divine, heavenly

die **Himmlische, -n** the heavenly one

hinwiederum in return, on the other hand

der **Hirte, -en** shepherd

der **Hitlergruß** the "Hail Hitler"

hochweise very wise, prudent

die **Hochzeit, -en** wedding

das **Hochzeitsschloß,** ⸚**er** castle in which a wedding is held

hocken to sit, squat

die **Hoffnung, -en** hope

die **Höflingsschar, -en** band of courtiers, retainers

der **Hofrat,** ⸚**e** councillor

die **Hofrätin, -nen** wife of a councillor

die **Höhe, -n** height, summit; mountain, hill

in die — stehen stand up

der **Hohn** scorn, contempt, mockery

hold lovely, gracious, charming, well-disposed

die **Holde, -n** fair maiden

holdselig darling, gracious

die **Hölle** hell

der **Höllenschein** hellish fire, glow

der **Höllentanz,** ⸚**e** hellish dance

das **Hölzlein,** - drum stick, wooden stick

horchen to listen

auf-hören to cease, stop

der **Hörnerklang,** ⸚**e** sound of trumpets, horns

hu! exclamation expressing horror, ugh!

hübsch nice(ly), pretty
der Huf, -e hoof
der Hügel, - hill, grave mound
die Hülle, -n cover
hüllen to wrap
hüpfen to jump, skip, hop
hurtig fast, quick
sich hüten to be on one's guard

I

immerdar always
immerfort continually, always
die Inbrunst passion, ardor
indes in the meantime, however
indessen in the meantime, furthermore, however
innerlich secretly, deeply
sich irren to be wrong, be mistaken

J

die Jagd, -en hunt, chase
der Jagdgesang, ⁻e hunting song
jagen to chase; to speed away; force
der Jäger, - hunter
jäh sudden
der Jammer misery
der Jarl, -s nobleman, count, earl
jauchzen to shout with joy, cheer, jubilate
jederzeit all the time
jedoch nevertheless, however, yet
der Jubel jubilation, exultation
weg-jucken to scratch away
der Jul winter solstice, Christmas, Yuletide
der Jünger, - disciple
die Jungfrau, -en virgin
der Jüngling, -e youth, young man
jüngst the other day, recently

der Junker, - squire, nobleman
just now, just, exactly

K

kahl barren
der Kahn, ⁻e boat
der Kai, -e quay, wharf
die Kajüte, -n cabin on a ship
der Kamerad, -en comrade
die Kammer, -n chamber, room
das Kämmerlein, - little room
die Kampfbegier eagerness to fight
das Kampfspiel, -e tournament
der Kanon, -s round, canon (song)
die Kapelle, -n chapel
kappen to trim, chop off
der Karfunkel, - garnet, gem
die Karosse, -n carriage
der Kasinoball, ⁻e club dance, ball, dance
sich kasteien to chastise or castigate oneself
der Kater, - tomcat
keck daring, bold
die Kehle, -n larynx, throat
aus voller — singen to sing with all one's heart
die Kehr(e), -en turn, bend (of road)
ein-kehren to make a visit, stop
heim-kehren to return home
wieder-kehren to return again
zurück-kehren to return
die Kellerwand, ⁻e cellar wall
der Kerker, - jail, prison
die Kerze, -n candle
der Kessel, - kettle, pot
keusch chaste
kiesen (küren), kor, gekoren choose
das Kinderwiegen rocking of children; raising of children
das Kinn, -e chin
der Kirchhof, ⁻e cemetery, churchyard

das **Kissen**, - pillow

die **Klage**, -n wailing, mourning

klagen to be sad, mourn

sich **an-klagen** to accuse, indict

der **Klang**, ⁓e sound, tone; noise

klapp! bang!

klappen to clap, strike together

das **Kleid**, -er raiment, garment, dress

die **Kleinschreibung** writing in lower case (*gr.*)

klettern to scramble, clamber, climb

empor-klettern climb up

klingen, a, u to sound, ring, peal

klingend trilling, warbling

aus-klingen, a, u to stop ringing, be silenced

klippern to clang, click

klirren clink, clatter, rattle

der **Kloben**, - log, wedge

klopfen to knock, hammer

der **Knabe**, -n boy, youth

der **Knecht**, -e soldier; retainer, servant; slave

die **Knechtenschar**, -en crowd of soldiers, followers

kneten to knead

knicken to crush, squash

knirschen to crunch

sich **knittern** to wrinkle

der **Knöchel**, - joint, ankle

der **Knochenmann**, ⁓er skeleton

das **Knochenwerk** bones

die **Knospe**, -n bud

der **Kobold**, -e spirit, phantom, goblin

der **Kolibri**, -s hummingbird

her-kommen, a, o to come from

heran-kommen, a, o to advance, draw near, approach

hervor-kommen, a, o to appear, come out (from)

vor-kommen, a, o to seem, strike; to occur

vorbei-kommen, a, o to come by, pass by

das **Königsmahl**, -e royal banquet

der **Königssaal**, -säle royal hall

das **Korallengeschmeide**, - coral jewelry

das **Korn** grain

der **Korse**, -n Corsican

die **Kost** food, fare

kostbar valuable, priceless

das **Krachen** crashing, roaring

krähen to crow

die **Kralle**, -n claw

der **Kranz**, ⁓e wreath, circle, ring

kratzen to scrape

das **Kraut**, ⁓er herb

der **Kreis**, -e circle

der **Kreml** Kremlin (Moscow)

das **Kreuz**, -e medal, cross, decoration

kreuzen to cross

kreuz und quer all over, in all directions

der **Krieger**, - warrior, soldier

die **Krone**, -n crown, kingdom

die **Krücke**, -n crutch

krumm crooked, curved, bent

die **Kufe**, -n vat, tub, barrel

der **Küfer**, - cooper, cellarman

die **Kugel**, -n bullet

der **Kummer** suffering; trouble

kummervoll wretched, sad, worrisome

die **Kunde**, -n message, news

künden to announce, declare, proclaim

künftig future, coming

der **Kurier**, -e messenger, courier

kurieren to cure, heal

der **Kuß**, ⁓e kiss

L

lächelnd smiling, pleasant

lächerlich ridiculous, silly

laden (ä), u, a to load (a gun)

die **Lage**, -n row

das **Lager,** - bed, couch, resting place
sich **lagern** to lie down
lahm lame
lähmen to paralyze
das **Laken,** - sheet; shroud, shift
das **Lämpchen,** - little lamp
landaus, landein everywhere, all over the world
landen land
der **Landmann,** ⁼er farmer
die **Landschaft, -en** landscape, countryside
die **Landstraße, -n** country road, highway
landwärts toward land
langbeinig long legged
lärmen to be noisy
los-lassen (ä), ie, a to let go
die **Last, -en** burden
lästern to blaspheme, defame
der **Lattenzaun,** ⁼e picket fence
das **Laub** leaves, foliage
der **Lauf,** ⁼e running; course
der **Läufer,** - messenger
die **Laune, -n** mood, temper
launisch moody, bad-tempered
lauschen to listen
der **Laut, -e** sound
läuten to ring, sound, toll
lauter pure; full of; nothing but
die **Lebensglut** glow, warmth of life
der **Lebensgruß,** ⁼e wish for life, greeting, dedication
leeren to empty
ab-legen to take off
sich **hin-legen** to lie down
lehren to teach, instruct
der **Leib, -er** body
leichenstill deadly silent
leicht gentle; bright, light; carefree; unreliable, inconstant
das **Leid** sorrow
leiden, i, i to suffer
der **Leim** birdlime; glue
der **Lenz, -e** spring

die **Lerche, -n** lark
der **Leu, -en** (*dicht.; veraltet*) lion
leuchten to burn, shine, glow; to brighten up, show the way
licht light, bright, shining
das **Lieb** sweetheart, darling
liebefest lovingly and closely; tightly
die **Liedertafel, -n** choral society, glee club
die **Lilie, -n** lily
der **Lilienschuh, -e** shoe made of lilies
der **Lindenbaum,** ⁼e linden tree
lindern to alleviate, soothe
lispeln to lisp, whisper
das **Lob** praise
die **Locke, -n** curl, lock
locken to call, attract
lockig curly
auf-lodern to blaze, flare up
der **Löffelzwerg, -e** tiny rabbit with long ears
aus-löschen to extinguish; to die
lösen to loosen, untie; to solve
ab-lösen to relieve
auf-lösen to dissolve, merge
der **Löwe, -n** lion
die **Lücke, -n** gap, hole
lüften air, expose
lugen to look, search, spy
die **Lumpenhülle, -n** rags, tattered clothing
die **Lust,** ⁼e joy, enjoyment, pleasure
lustig happy, joyful
lüsten to desire, want

M

kund-machen to announce
die **Macht,** ⁼e power, force; God
mächtig mighty, powerful
der **Magier,** - magician, wise man
das **Mahl,** ⁼er meal, banquet
mahlen to grind

die **Mähne, -n** mane
die **Mähre, -n** horse
die **Maid, -en** girl
der **Makel, -** flaw, defect
die **Männerwürde** dignity of man
    manschen to splash, slop about
die **Mär, -en** story, tidings, news
das **Märchen, -** fairy tale
die **Marmorsäule, -n** marble column
    marschieren to march, walk, tread
    ein-marschieren to march into, descend upon
der **Mast, -e(n)** mast of a ship
der **Mastbaum, ⁻e** mast of a ship
    matt feeble, weak, tired
die **Matte, -n** meadow
die **Meeresstraße, -n** strait, sound
die **Mehrzahl** plural (*gr.*)
der **Meißel, -** chisel
    melden to mention, tell, report
die **Meldung, -en** report, message
die **Melodie (ei), -n** melody, tune
    mengen to mix, mingle, blend
    menschenfressend man-eating
    merken to take notice of, pay attention to, realize
    an-messen (i), a, e to take measurements
der **Messingknauf, ⁻e** ornamental brass knob (on a tombstone)
die **Miene, -n** facial expression
    mild mellow, mild
    minderjährig minor, not of age
der **Minister, -** minister, statesman
der **Minnesold** love's reward
    mischen to mix, blend
    ein-mischen to join in
    mißfallen (ä), ie, a to displease
    mißmutig bad-tempered, disgusted
die **Mitte, -n** center, central point, middle
    mitten right in the center
    mittendrin in the middle
die **Mitternacht** midnight

    mitunter in between, occasionally
der **Moder** mold, decay
der **Mohn, -e** poppy
der **Monteur, -e** engine fitter, mechanic
das **Moor, -e** moor, swamp
der **Mord, -e** murder
die **Mordsucht** thirst for blood, desire to kill
    morgendlich in the morning
das **Morgenland** the Orient, Middle East
das **Morgenrot** dawn
    morgenschön as beautiful as the morning
die **Mühle, -n** mill
das **Mühlenrad, ⁻er** mill wheel
der **Müller, -** miller
    mündlich orally, by mouth
    munter lively
    murren to growl
der **Muselmann, ⁻er** Turk, Mohammedan
der **Musicus,** die **Musici** musician
das **Musizieren** music making
der **Mut** courage, spirit, mood
der **Myrtenkranz, ⁻e** myrtle wreath (*symbol of virginity*)

N

    nachlässig casual, careless; negligent
die **Nachtigall, -en** nightingale
    nächtlich nocturnal, nightly
die **Nachtmütze, -n** nightcap
der **Nacken, -** nape of the neck
    nackend naked
die **Nadel, -n** needle
    nagen to gnaw, nibble
sich **nahen** (*dat.*) to approach, draw near
die **Näherin, -nen** seamstress
    nähren to nourish

die **Naht,** ⁼e seam

namenlos ineffable, nameless

die **Natter,** -n adder, viper, snake

die **Natur** nature

    nach der — from real life

der **Nebel,** - fog, mist

der **Nebelstreif,** -e trail of fog

hin-nehmen (i), **a, o** to accept, take

mit-nehmen (i), **a, o** to take along, take away

neigen to bow; to incline

der **Nerv,** -en nerve

netzen to wet, moisten

neugierig curious

nicken to nod, greet; slumber

nimmer never, never again

nimmermehr never again

der **Nix,** -e nix, merman, water sprite

die **Nonne,** -n nun

der **Nordlichtschein** northern lights

die **Not,** ⁼e distress, trouble

O

obendrüber overhead

die **Oberfläche,** -n surface

das **Obige,** -n the former, abovementioned

öde desolate

der **Odem** breath

    Gottes — fresh air

der **Ölbaumgarten** Mount of Olives, Gethsemane

das **Ölgelände,** - olive orchard

orgeln to roar, roll

P

packen to seize, grip

die **Palme,** -n palm tree

panschen to adulterate, water down wine

der **Papagei,** -en parrot

an-passen to fit, measure

die **Pein** pain, suffering, torment

peinigen to torment, torture

peitschen to flail, whip

der **Pfad,** -e path, trail

das **Pfand,** ⁼er pledge, security, token

das **Pfeifen** whistle

der **Pfeiler,** - column, pillar

das **Pferderennen,** - horse race

die **Pflaume,** -n plum

der **Pflaumenbaum,** ⁼e plum tree

sich **pflegen** to take care of oneself

das **Pförtlein,** - side gate, door, portal

die **Pfote,** -n paw

der **Pinselstrich,** -e brush stroke

die **Plage,** -n trouble, hardship

plagen to bother, torment, pester

    sich — to torment, bother oneself

plätschern to babble, splash, murmur

plumpen to fall

der **Plunder** rubbish, junk

pochen to knock, rap; to beat (of the heart)

der **Postillon,** -e coachman

die **Pracht,** -en splendor, glory

prächtig magnificent, shining, gleaming

prangen to glitter, shine

der **Preis,** -e prize, trophy, praise

das **Preisgericht,** -e jury

probieren to try, test

prüfen to scrutinize, test

die **Pupille,** -n pupil (of the eye)

der **Purpur** red robe (*symbol of a ruler*)

der **Purzelbaum,** ⁼e somersault

hin-purzeln to take a tumble

der **Putz** finery

Q

die **Qual,** -en pain, frustration

der **Qualm,** -e smoke

der **Quell,** -e (*dicht.*) spring, fountain, well

die **Quelle, -n** spring

quellen (i), o, o to bloom, gush, swell

querfeldein across the fields

quinquilieren to sing, warble

R

der **Rabe, -n** raven

der **Rachegeist, -er** avenging spirit

sich **rächen** to revenge, avenge

der **Rand, ⁻er** edge, rim, brim

das **Ränzel, -** pack, knapsack

der **Rappe, -n** black horse

rasch hurried, excited; ready, quick(ly)

rasen to rave, rage; rush, chase

der **Rasen, -** turf, sod, grass

rasten to halt, stop, rest

der **Rat, ⁻e** advice, counsel

rauben to steal, rob

ab-räumen to clean up, clear; to take off

raunen to whisper, murmur

rauschen to rustle

die **Rebe, -n** vine

die **Rechte** right hand

sich **recken** to lift, raise, stretch out

die **Rede, -n** speech, lecture

eine — halten to give a speech

sich **regen** to stir, move, be active, beat

der **Regenbogenglanz** iridescence, gleam of the rainbow

das **Regiment, -er** regiment

das — führen to rule, command, have control

das **Reh, -e** deer

das **Reich, -e** kingdom, empire

reichen to give, hand

der **Reichtum, ⁻er** wealth, riches

der **Reif, -e** circle

reifen to mature, ripen

sich **reihen** to follow

der **Reihen, -** round dance

den — führen to lead the dance

das **Reis, -er** little twig, branch

reißen, i, i to tear, pull

fort-reißen, i, i to carry away

weg-reißen, i, i to tear away

der **Reiter, -** rider, knight

der **Reitersmann, ⁻er** rider

rennen, a, a to run

der **Retter, -** rescuer

sich **auf-richten** to sit up, straighten oneself up

der **Richter, -** judge

richtig right, sure enough

die **Rinde, -n** bark

ringen, a, u to wrestle

das **Ringen** struggling, striving

rings all around, surrounded by

rippendürr thin, so that the ribs show

der **Ritter, -** knight

das **Röcheln** death rattle

roh crude, brutal, rough

der **Rohr, -e** reed

rollen to flow, spill, roll

die **Rosenspur, -en** path of roses

das **Röslein, -** little rose

das **Roß, -e** horse

das **Rößlein, -** little horse, pony

rucken to jerk, move

hinan-rucken to move up

rücken to jerk, pull, move, change position

vor-rücken to move forward

zusammen-rücken to squeeze together

rückwärts back(ward)

das **Ruder, -** oar

rudern to row

der **Ruderschlag, ⁻e** oar stroke

der **Ruf, -e** call, summons; reputation

herein-rufen, ie, u to call in, summon

hervor-rufen, ie, u to conjure up

zurück-rufen, ie, u to call back, recall

die **Ruh(e)** peace, calm, sleep, rest
der **Ruhm** fame
rühren to touch
sich — to move, touch, budge
an-rühren to touch
rund all around; round
die **Runde, -n** ring, circle; round dance; guard, watch
rupfen to pluck, pull, pick
rüsten to prepare
rütteln to rattle, shake

S

der **Saal, die Säle** hall, room
sacht quietly, gently
der **Sack, ⁔e** sack, bag
die **Säge, -n** saw
die **Saite, -n** string
salzig salty
der **Sammet** velvet
samt together with
sanft soft, gentle
der **Sang, ⁔e** song, voice
der **Sängergreis, -e** old minstrel
das **Sängerpaar, -e** pair of minstrels
das **Sängertum** art of singing
der **Sarg, ⁔e** coffin
der **Sattel, ⁔** saddle
der **Satz, ⁔e** thesis, tenet, maxim
die **Satzzeichensetzung** punctuation
die **Säule, -n** pillar, column
der **Säulensaal, -säle** pillared hall
säuseln to rustle
sausen to whistle, rush, dash, swish
schaben to scrape, peel
schaden to damage, injure, impair
schaffen, u, a to create, perpetuate, cause, work
man schafft sich one creates for oneself
die **Schale, -n** vessel, container, chalice, cup
der **Schalk, -e** rogue, devil

der **Schall, -e** echo, noise
schallen to resound, boom
das **Schallen** noise
heraus-schallen to resound from
die **Schalmei, -en** flute, recorder
die **Scham** modesty, shame, dilemma
schänden to rape
die **Schar, -en** pack, flock, multitude; heavenly host
die **Schärfe, -n** cutting edge
der **Schatten, -** shadow
der **Schatz, ⁔e** darling, sweetheart, treasure
das **Schätzchen, -** sweetheart, darling
der **Schatzgräber, -** treasure hunter
schauderlich weird, gruesome, horrifying
das **Schauen** looking, watching
drein-schauen to look
hindurch-schauen to look or see through
hinein-schauen to look into
um-schauen to look back
der **Schauer, -** fear, trembling
schaukeln to swing, rock
der **Schaum, ⁔e** foam, juice
schäumen to foam, surge
schäumend foaming
schaurig horrible, awful, frightening
der **Scheidegruß, ⁔e** farewell greeting
scheiden, ie, ie to leave, depart; to vanish, disappear
der **Schein, -e** light, glimmer, gleam, glow
scheinen, ie, ie (*dat.*) to seem, appear
der **Schelm, -e** fellow, rascal
der **Schenk, -en** innkeeper
der **Schenkel, -** thigh
schenken to give, present
scherzen to joke, be happy
das **Scherzen** fun, joking
scheu timid, frightened, nervous, uncertain

das **Schicksal, -e** fate, destiny, lot
schieben, o, o to shove, push
sich **auf-schieben, o, o** to push itself open
schier almost, really
schießen, o, o to flash, shoot, sprout
   einen Purzelbaum — to turn a somersault
der **Schiffer, -** boatman
der **Schiffsmann, ⸚er** ferryman
das **Schild, -er** emblem, coat of arms, sign
das **Schilf, -e** reed, rush
schimmernd glittering, shining, bright
die **Schlacht, -en** battle
der **Schläfer, -** sleeping person
schläfern to be sleepy
der **Schlafrockfetzen, -** rags, shreds of a bathrobe (housecoat)
der **Schlag, ⸚e** heartbeat; stroke; knock
schlagen (ä), u, a to sing; to pluck (*to strike a stringed instrument*); to move, beat
   nach oben — to turn upward
aus-schlagen (ä), u, a to blossom, sprout
hin-schlagen, (ä), u, a to fall
um-schlagen (ä), u, a to wrap around, throw around
zurück-schlagen (ä), u, a to repel
schlank slender, slim
schleichen, i, i to sneak, creep
einher-schleichen, i, i to move, creep
herzu-schleichen, i, i to sneak up, slink up
der **Schleier, -** veil, haze
schleifen to drag
die **Schleppe, -n** train of a dress; shroud, sheet
schleppen to drag, trail; bear
aus-schließen, o, o to expel; shut out, exclude

zu-schließen, o, o to close
schlimm bad, annoying
schlotternd shaking, trembling
schlummern to slumber, doze
schlüpfen to slip, glide
der **Schmaus, ⸚e** feast, banquet
   — halten to have a feast
schmeicheln to flatter
der **Schmelz** lustre, shine, smoothness
schmelzen (i), o, o to melt
die **Schmiede, -n** smithy, forge
der **Schmuck** jewelry
schmuck dapper, handsome
schmücken to decorate
   sich — to dress up
schnarchen to snore
schnauben to snort
die **Schnauze, -n** muzzle, snout
   die — halten to shut up
schneien to snow
sich **schnellen** to jerk, whip, toss
schniegeln to refine
schnitzen to carve
der **Schnörkel, -** scroll, ornament
schnurren to purr, growl
schönen to refine, clarify
die **Schöpfung** creation
der **Schoß, ⸚e** lap; womb; bowels (of the earth)
der **Schrank, ⸚e** wardrobe, closet
die **Schranke, -n** barrier, iron bar
der **Schrecken** terror, horror
hin-schreiben, ie, ie to write down
schreien, ie, ie to yell, roar
schreiten, i, i to stride
der **Schritt, -e** step
   — und Tritt step by step
die **Schuld, -en** guilt, debt
die **Schuldigkeit** bill, obligation
der **Schutt** ruins, rubble
schütteln to shake
das **Schützenfest, -e** shooting match

Schwaben Swabia (German province)

schwäbisch Swabian

schwächen weaken

die Schwalbe, -n swallow

der Schwall, -e flood, profusion

hervor-schwanken to stagger out

der Schwarm, ꞋꞋe crowd

schwärmen to swarm

schweben to float

schwefeln to impregnate with sulfur, vulcanize

der Schweif, -e tail; train of a dress

schweigen, ie, ie to be silent

das Schweigen silence

die Schwelle, -n threshold

schwellen (i), o, o to swell

schwenken to swing, swivel, wave

die Schwermut melancholy, sadness

das Schwert, -er sword

schwinden, a, u to vanish, disappear

schwirren to whiz, buzz, fly

schwören, u/o, o to swear, pledge

geschworen dedicated

schwül humid, sultry

die Schwüle stifling heat, closeness

die Seele, -n soul

der Seewind, -e sea wind, sea breeze

das Segel, - sail

der Segen, - blessing

segnen to bless

sich um-sehen (ie), a, e to glance about, look about

die Seide, -n silk

seiden silken

her-sein to come from

voll-sein to mature, ripen

seitab close by, near

selbig same

selig blissful, peaceful

der Senat, -e city council

senken to sink, lower

die Sense, -n scythe

ein-setzen to put in; to risk, stake

zusammen-setzen to put together

seufzen to sigh

der Seufzer, - sigh, lamentation

der Sich-Verlierende, -n doubter, lost person

der Sieg, -e conquest, victory

der Sinn, -e mind, heart, will

sinnen, a, o to meditate, plot, plan

die Sippschaft, -en family, tribe

sirren to whirr

sittlich moral, ethical

der Sklave, -n slave

der Sklavenschritt, -e footstep of a slave

sobald as soon as

sodann then, after that

sogleich at once

die Sommerzeit, -en summertime

der Sonnenschein sunshine

der Sonnenstrahl, -en sunbeam

die Sonnenuhr, -en sundial

die Sorge, -n worry, trouble, sorrow

spalten to split

der Span, ꞋꞋe wood shaving, piece of wood

die Spange, -n brooch, pin

spanisch Spanish

der Spaß, ꞋꞋe joke

der Spatz, -en sparrow

aus-speien, ie, ie to spit out, eject

der Speil, -e wooden stick, skewer

die Speise, -n speiss, bell metal

ein-sperren to lock up, imprison

auf-spielen to strike up a tune, play

der Spielmann, ꞋꞋer minstrel, singer

die Spinne, -n spider

spinnen, a, o to spin

spitz pointed

der Spott ridicule, sneering, mockery, scoffing

sprengen to ride, rush

der Springbrunnen, - fountain

auf-springen, a, u to spring, spurt up

die Spritzenprobe, -n volunteer fire department practice

sprühen to flash, sparkle

das Sprühen drizzle, spray

spüren to perceive, notice

der Staatsrock, ̈e dress coat, formal dress

der Stab, ̈e bar of a cage; stick, walking stick

die Staffelei, -en easel

das Stammbuchblatt, ̈er page in an album

stammen to come from, originate from

ab-stammen to be descended from

her-stammen to come from, be descended from

stampfen to stamp

der Star, -e starling

stärken to strengthen, invigorate

starr stubborn, hardened, sterile, stagnant

starren to stare

der Stationsvorsteher, - station master

statt instead of

die Stätte, -n place

das Staubigsein dustiness

stechen (i), a, o to prick, cut

stecken to hide

im Blut — to run in the blood

sich stehlen (ie), a, o to steal away, take away

steif stiff, straight

steigen, ie, ie to rise

ein-steigen, ie, ie to climb in, enter

du steigst mir nicht ein you had better not climb in

hinab-steigen, ie, ie to step down, climb down

hinauf-steigen, ie, ie to climb up, ascend

steigern to compare (gr.)

die Stelle, -n place

an der — von in place of

sich stellen to turn oneself in

zusammen-stellen to put together, mix together, concoct

sich stemmen to push against, oppose

sich dagegen-stemmen to resist, oppose

der Stern, -e star; metal decoration

stets always, all the time

sticken to embroider

der Stiefel, - boot

die Stiege, -n steps, staircase

stier fixed, staring

die Stimme, -n voice, sound

an-stimmen to begin a song

ein-stimmen tune in

zu-stimmen to agree, comply

der Stips, -e push

die Stirne, -n forehead

stöhnen to moan, groan

das Stöhnen groaning, moaning

stolpern to stumble

stolz proud

stopfen to fill, stuff

störrig headstrong, stubborn, obstinate

der Stoß, ̈e push, kick

stoßen (ö), ie, o to stab, thrust

stracks straightaway, directly

strafen to chastise, punish

der Strahl, -en ray; flash of lightning

strahlen to shine

der Strand, -e beach, shore

das Sträußchen, - small bouquet of flowers

die Strecke, -n distance

sich strecken to stretch out

der Streich, -e stroke, blow

streichen, i, i to smooth, push away

der **Streit, -e** battle, fight

hin-streuen to strew, scatter

stricken to knit

der **Strom, ⁻e** flow

vor-strömen to flow forth, pour forth

der **Strudel, -** whirlpool, river

die **Stube, -n** room

die **Stufe, -n** stair, step

das **Stundenglas** hourglass

stürmisch stormy

stürzen to fall, plunge, topple

— **auf** to fall upon

ein-stürzen to come down upon

hin-stürzen to fall down

nieder-stürzen to crash, fall down

summen to hum, buzz

der **Sund, -e** sound, strait

die **Sünde, -n** sin

die **Sünderglocke, -n** death knell, bell rung for someone about to be executed

sündig sinful

surren to buzz, whirr

T

das **Tagewerk, -e** the day's work

der **Takt, -e** time, measure, rhythm, beat

der **Tannenbaum, ⁻e** fir tree, Christmas tree

tappen to grope, fumble

das **Taschentuch, ⁻er** handkerchief

die **Tat, -en** deed, action

die **Tatze, -n** paw, claw

der **Tau** dew

tauchen to dip, submerge

nieder-tauchen to submerge

teilweise partially, partly

der **Thron, -e** throne

tiefst lowest; most profound

das **Tirilieren** singing, twittering

der **Todeskampf, ⁻e** death struggle, agony of death

die **Todesnot, ⁻e** mortal agony, death throes

das **Todesurteil, -e** death sentence

tönen to sound, resound

das **Tor, -e** door, portal, gate

tosend raging, surging

das **Totengeleit, -e** funeral procession

das **Totenhemd, -en** shroud, burial dress

der **Totentanz, ⁻e** dance of death

traben to trot, jog along

der **Träge, -n** lazy person, lazybones

die **Träne, -n** tear

tränenblind blind with tears

der **Trank, ⁻e** drink, draught

trauern to mourn, lament, grieve for

traulich intimate

der **Traum, ⁻e** dream

träumen to dream

traut dear

treiben, ie, ie to swirl, drift, fall

Wurzeln — to take root

Früchte — to grow fruit

ein-treten (i), a, e to step in, enter; to substitute

hin-treten (i), a, e to step up to

um-treten (i), a, e to tread on, crush

zu-treten (i), a, e to step up to someone

trippeln to trip, walk, step lightly

der **Tritt, -e** step, gait

die **Trommel, -n** drum

das **Tröpfchen, -** little drop

der **Tropfen, -** drop

der **Troß, -e** followers, retainers

der **Trost** comfort, consolation

trotzig haughty; defiant

trüb(e) sad, gloomy

sich **trüben** to grow dim, darken, cloud over

die **Trümmer** (*pl.*) pieces, ruins

der **Trunk, ⁻e** drink

das **Tuch,** **⁼er** cloth, sheet
tüchtig diligently
die **Tücke, -n** malice, spite, trick
das ist — that is a nasty trick
sich **auf-tun, a, a** to open
der **Türkentrank** Turkish drink, coffee
der **Turm,** **⁼e** watchtower, tower
die **Turmtür, -en** tower gate
sich **türmen** to tower, rise high
der **Türmer, -** sentinel, watchman in a tower

U

überbrücken to bridge, span
überlassen (ä), ie, a to abandon, leave to
überliefern to transmit, preserve
das **Ufer, -** river bank
umfassen to embrace; to comprise
umflort dimmed, vague, distant
umgehen, i, a to walk around, circle
umhüllen to surround, envelop
der **Umkreis** surrounding
umsonst in vain, for nothing
unaufgefunden undiscovered
unbemerkt unnoticed
unbeständig inconstant, fickle, unstable
unbewegt independently; uninfluenced
unendlich infinitely
unentbehrlich indispensable
der **Unentbehrliche, -n** the indispensable one
unerwartet unexpected
ungebeugt indomitable, brave
das **Ungeheuer, -** monster, beast
ungeladen uninvited
ungemein unusual, different
ungerührt motionless, not budging
ungesättigt unsatisfied

ungezählt countless, innumerable
das **Unglück** misfortune
Frau — Lady Misfortune
unruhig restless
die **Untat, -en** crime
der **Unterlaß** (*used only in the phrase:*)
ohne — continually, without pause
unternehmen, (i), a, o to undertake, start, begin
der **Unterschied, -e** difference
unverbunden unbandaged
unverschämt fresh, forward, brazen
unversehens suddenly, unexpectedly
unverstellt clear, undisguised
unverwandt relentless, continuous, steadfast
die **Ursache, -n** cause, reason

V

der **Vätersaal, -säle** ancestral hall
verbinden, a, u to bind, connect; to dress (a wound)
verbleiben, ie, ie to remain
verblichen faded, white, pale
verblühen to wither, die
verdorren to dry up, wither
verduften to disappear, evaporate
verfärben to change color
verführen to mislead, seduce
vergebens in vain, to no purpose
vergeblich in vain
vergehen, i, a to perish
vergießen, o, o to shed
vergleichbar comparable
verhauchen to exhale, breathe one's last
verheißen, ie, ei to promise (*used in the sense of a divine covenant*)
sich **verhüllen** to hide; to cover, veil
verkehren to associate

verklärt transfigured

verklingen, a, u to fade away

verkünden to tell, report

verlegen sein to be embarrassed

verlernen to forget, to be unable to learn

verlocken to entice, allure, seduce

vermaledeien to curse

vernehmen (i), a, o to hear, perceive

verödet devastated, lifeless

verröcheln to expire, die

verrucht infamous, wicked, villainous

versäumen to miss, neglect, omit

verscheiden, ie, ie to pass away

verschließen, o, o to lock

verschlingen, a, u to engulf, devour

verschollen to be missing; to be presumed dead

verschwinden, a, u to disappear, vanish, fade

sich **versehen (ie), a, e** realize

versiegen to dry up

versinken, a, u to sink

versunken forgotten; absorbed (in thought)

versprechen (i), a, o to promise

verständlich intelligible, clear

verstecken to hide

versteint petrified, full of stones and rubble

verstreuen to scatter, spread

verstummen to stop, cease, grow silent

versuchen to try, attempt; to tempt

der **Versucher, -** tempter, devil

sich **verteidigen** to defend oneself

vertrackt strange, odd, twisted

verträumt dreamy, in a daze

vertreiben, ie, ie drive away

verwenden to use, apply

verwurzelt deeply rooted, entwined

verzaubert bewitched, enchanted

sich **verzehren** to be consumed

sich **verziehen, o, o** to change into, be transformed

visieren to gauge, level

die **Vogelschar, -en** flock of birds

die **Vogelschau, -en** show of birds, bird parade

der **Vogelzug, ⁻e** flock of birds

der **Vogt, ⁻e** bailiff, steward

volkstümlich national, popular

vollbringen, a, a to complete, finish, accomplish

die **Vollendung, -en** perfection, completion

vollgemessen filled to overflowing

von hinnen away, from hence

das **Vorbereiten** preparation

das **Vorbild, -er** example, model

vordem formerly, in former times

vorder front

der **Vorgang, ⁻e** event, happening; precedent

der **Vorhang, ⁻e** veil, curtain; eyelid

vorüber along, past; pass on by

das **Vorübergehen** passing

W

wach awake

wachen to stay awake

die **Wacht, -en** night watch

der **Wächter, -** guard

wackeln to totter, shake

wacker brave, bold, gallant, fine

der **Wagen, -** car, cart, vehicle

wahrlich truly, indeed, really

wallen to wave, to boil, bubble

walten to reign, govern, direct

die **Wandergans, ⁻e** wild goose

das **Wandern** wandering, hiking

der **Wandersmann,** die **Wandersleu-
te** wanderer

die **Wange, -n** cheek

das **Wäng(e)lein,** - little cheek (*affectionate*)

wapp! bang, pop!

warten to serve, attend, wait upon

das **Wassergebirge,** - mountain of water

der **Wasserstrom,** ⁔e stream of water

der **Wassertopf,** ⁔e water jug

das **Weh** woe, lamentation

— **und Ach** moaning and groaning

weh woe

—' **euch** woe unto you

o —! oh dear!

wehen to blow, wave, waft

die **Wehmut** melancholy, sadness

wehmütig sad, melancholy, wistful

sich **wehren** to defend oneself

das **Weib, -er** (*dicht.*) wife, woman

weich soft; mild, good-natured, benign

die **Weide, -n** willow; pasture, meadow

sich **weigern** to refuse, decline

weihen to consecrate

der **Weiher,** - pond

die **Weihnachtszeit, -en** Christmas time

die **Weile** time, period, while

weilen to be present, remain, linger

die **Weise, -n** melody, tune

weisen, ie, ie to show

das **Weizenfeld, -er** wheat field

welk old, withered

welken to wither, fade

die **Welle, -n** wave

Well' um Welle wave upon wave

sich **wellen** to wave, undulate

welsch Latin, Italian, southern

der **Weltenbau** universe

sich **wenden, a, a** to turn around

werben (i), a, o to court

los-werden (i), u, o to get rid of

ab-werfen (i), a, o to throw off, cast away

auf-werfen (i), a, o to reflect

hin-werfen (i), a, o to throw down, throw away

nieder-werfen (i), a, o to fling down, throw down

wert worth

— **sein** to be worthy of

das **Wesen,** - nature; being, creature; personality

der **Wicht, -e** creature, wight

wiegen to rock; to testify, show

sich — to rock

wiegen, o, o to weigh, test

da wird das Herz noch gewogen there one's courage is still tested

wiehern to neigh

die **Wiese, -n** meadow

wimmeln to swarm

der **Wimpel,** - flag, pennant

die **Winde, -n** bindweed, a climber; pulley, winch

sich **winden, a, u** to wind, wriggle, coil

der **Windstoß,** ⁔e blast of wind

winken to wave, make a sign, signal

der **Wipfel,** - treetop

wirbeln to whirl

der **Wirt, -e** innkeeper

wittern to scent, smell

die **Witwe, -n** widow

wogen to surge, swell

wohl safely, securely

— **sein** to feel well

das **Wohl** well-being; good

wohlgemut in good spirits

wohlgenährt well-fed

der **Wolkenbruch,** ⁔e shower, cloudburst

die **Wollust** lust, voluptuousness

die **Wonne, -n** joy, delight

wozu to what purpose

das **Wrack, -e** wreck

der **Wuchs, ⁼e** body, figure

wühlen to dig, rummage

die **Wunde, -n** wound, hurt

der **Wunderbaum, ⁼e** magic tree

wundermild pleasant, gracious

wundersam strange, eerie

der **Wurf, ⁼e** throw, stroke of luck

der **Würfel, -** die (*pl.* dice)

der **Wurm, ⁼er** worm

die **Wurzel, -n** root

die **Wut** rage, fury

wütend enraged, furious

Z

der **Zacken, -** prong, spike, hook

zäh(e) tough, hardy; viscous

zappelnd wriggling

zart delicate, sensitive, gentle, tender

zärtlich tender

der **Zauber, -** spell, charm; magic

der **Zauberer, -** sorcerer, magician

der **Zauberlehrling, -e** sorcerer's apprentice

das **Zauberwort, -e** magic word, formula

zäumen to harness, bridle

der **Zecher, -** drinker, reveller

die **Zehr** consumption

zeigen to show

der **Zeiger, -** hand (of a clock)

der **Zeiß, -e** binoculars (*made by the Zeiß Company*)

der **Zeitvertreib, -e** pastime, amusement

das **Zelt, -e** tent

das himmlische **—** heaven, firmament

zerbrechen (i), a, o to break

zerfallen (ä), ie, a to collapse, fall into decay

zerfließen, o, o to dissolve, run (of colors)

zermalmen to crush

zerschellen to smash to pieces, shatter

zerschmettern to crash, break to pieces

zerspringen, a, u to burst

zerstieben, o, o to scatter

zerstreut scattered; absentminded

zertreten (i), a, e to crush, trample

das **Zeug, -e** stuff, material

zeugen (von) to be evidence of, prove

ziehen, o, o to pull; to wander, march

sich **—** to stretch

aus-ziehen, o, o to go to war; to move out

ein-ziehen, o, o to confiscate, seize

sich **hin-ziehen, o, o** to hang (side by side)

— nach to draw toward, pull toward

zu-ziehen, o, o to close, draw, shut

die **Zier** splendor, harmony; ornament

der **Zierat, -e** ornament(ation), decoration

der **Zimmermann, die Zimmerleute** carpenter

zimmern to build, construct

die **Zinne, -n** pinnacle

der **Zipfel, -** point, tail (of a shirt)

zischen to hiss

zittern to tremble, shiver, shake

zitternd trembling, shaking

die **Zofe, -n** lady's maid, servant

zögernd reluctantly, hesitating

der **Zorn** anger, wrath

die **Zucht** propriety, modesty

in **Züchten leben** to live decently, chastely

zucken to move, quiver, convulse

durch den Sinn zucken flash through one's mind

zugleich together with; at the same time

zuleid tun to harm, hurt

zuletzt finally, last

zumal suddenly, at once, then

zumute sein . . . to feel . . .

schlimm — to feel annoyed, angry

an-zünden to light, turn on

die **Zunge, -n** tongue, mouth

zupfen to pull, pick, pluck

zurückgelehnt leaning back

die **Zuversicht** faith, trust

voll — unshaken

zuvor formerly

zuweilen sometimes, occasionally

zusammen-zwingen, a, u to press together, crowd

der **Zwerg, -e** gnome, dwarf

der **Zwinger, -** cage

der **Zwischenraum, ꞋꞋe** space; interval

das **Zwitschern** twittering, chirping, warbling